D0608569

COLLECTION

Propos et Confidences

L'ÉCOLE DES DÉSIRS

Confidences 2

DU MÊME AUTEUR
aux Éditions Céra :

La Cité des intelligences
Collection Rumeurs du futur - Essais
1ère édition, 1998
2e édition, 1999

aux Éditions Céra - Village Mondial, Montréal-Paris,
3e édition, 2000
Petite collection Rumeurs du futur - Essais
4e édition, 2004

L'École des désirs
Confidences 1
Collection Rêves et confidences
2004

Massimo - Génética
co-écrit avec Pierre Guité
Petite collection Rumeurs du futur - Romans
2e édition, 2004

© LES ÉDITIONS CÉRA, MONTRÉAL, 2004
Confidences 1 et 2 — ISBN 2-921788-05-5
Confidences 2 — ISBN 2-921788-06-3
Dépôt légal - Bibliothèque du Québec, 2004
Dépôt légal - Bibliothèque du Canada, 2004

SYLVIE GENDREAU

photographies et dessins
Pierre Guité

L'ÉCOLE DES DÉSIRS

Confidences 2

Les éditions Céra

À la mémoire de mes parents

DESIDERIO

D É S I R

B E A U T É

R Ê V E R I E

FUITE HORS DU RÉEL

Désir infini

« Ce sont les rêveurs qui changent le monde,
les autres n'en ont pas le temps.»

Albert Camus

1

Dans l'avion qui me ramenait à Montréal, je pensais à Hubert. Je nous revoyais, assis au milieu des dégradés de rose, d'or et de marron qui donnaient à ce salon de thé une atmosphère « cosy » très française qui semblait plaire particulièrement aux touristes.

Moi, je l'associais aux temps des fêtes, car je m'y arrêtais parfois lorsque j'étais en congé ou entre deux courses Place de la Madeleine. J'y donnais à l'occasion rendez-vous à mes amis. J'y allais aussi seule. Tranquille. Assise dans un coin à l'écart avec un livre, à l'heure où la foule vaquait à d'autres occupations. Parfois le livre n'était qu'un prétexte. Il était posé là, devant moi, mais en fait je ne lisais pas, je rêvassais.

Comment ne pas associer un salon de thé aussi rose et l'étalage de ses pâtisseries aux fêtes de l'enfance ? Je m'amusais alors à observer les dames âgées avec leur petit chien, et les enfants (sans âge) en pâmoison devant les gâteaux.

Le contraste avec l'Amérique du Nord était grand. Les clients de ce salon de thé me faisaient presque penser à certains personnages décrits par la Comtesse de Ségur dans les lectures de mon enfance.

J'ai l'impression de savoir mieux flâner dans d'autres villes que dans la mienne. J'observe en silence, avec le regard de l'inconnue. Je peux rester ainsi pendant des heures. C'est très relaxant d'entendre le silence, d'attarder son regard sur des choses qui, en temps normal, n'attireraient pas notre attention. De toutes petites choses.

Ce midi-là, je le vis arriver légèrement en retard et, par conséquent, un peu tendu. De tous mes amis français, Hubert est le plus drôle. Pince-sans-rire sans pareil, son sens de la répartie me fait toujours beaucoup rire. Une fois de plus, ça n'a pas manqué.

À peine avait-il repris son souffle qu'il me prouva qu'il n'avait rien perdu de sa forme depuis les deux dernières années que je ne l'avais vu.

Avec son costume cintré, sa cravate et son air sérieux, on ne le voit pas venir. Et hop ! Une petite blague, fine et pertinente. Des réflexions bien amenées.

Ce jour-là, de surcroît, il était radieux en m'annonçant, les yeux brillants, que la belle Sénégalaise dont il était amoureux vivait désormais en France avec lui.

Je l'avais connu à la recherche d'un grand amour après une séparation amicale. J'étais heureuse de le retrouver comblé. C'était une preuve de plus que ça valait la peine de désirer. De rêver.

Nous discutions de ma démarche d'intelligence collective et de la difficulté qu'ont les hommes à partager le pouvoir. Il me confia qu'en tant que psycholoque, faisant du coaching personnel auprès des dirigeants, il utilisait souvent la métaphore de la chandelle pour les encourager dans la voie du partage.

« Une chandelle ne perd rien de sa flamme lorsqu'elle contribue à en allumer d'autres, » m'avait-il dit. J'avais souri.

L'avion roulait sur la piste. C'était le rai de soleil qui s'était frayé un chemin jusqu'à mes mains qui m'avait rappelé tout à coup cette métaphore de la chandelle. Les yeux mi-clos, la tête appuyée sur l'oreiller, tournée du côté du hublot, je pensais à la lumière. À quel point elle m'énergisait.

Je me demande toujours comment font les gens qui vivent dans des pays où c'est l'obscurité six mois par année. Je n'aurais pas pensé comparer le pouvoir à une flamme, mais l'idée n'était pas folle.

Un pouvoir collectif est toujours plus fort s'il est canalisé intelligemment. Mais il peut être aussi néfaste que positif. Je repensais à l'échec du communisme et à tout autre mouvement grégaire qui rapproche davantage l'humain du mouton, lui enlevant sa faculté de penser par lui-même.

Une personne qui veut garder toute la flamme pour elle finit par s'y brûler. Le problème, c'est que ces autocrates, assoiffés de gloire, de pouvoir et de capitaux, ont souvent le temps d'anéantir des peuples et des pays avant que leur folie ne soit stoppée.

Je repensais à l'aversion des écrivains Hermann Hesse et Stefan Zweig pour les mouvements de foule béate, tous les deux ayant vu Hitler, ce harangueur de foules à l'œuvre.

L'avion prenait son envol. J'ouvris mon livre en pensant à ce que la peur et la bêtise pouvaient faire faire aux hommes. Terrible. Je lisais *La plaisanterie* du Tchèque d'origine Milan Kundera.

Il me plongeait dans le monde loufoque et artificiel créé par un parti totalitaire. Le manque de confiance qu'un homme, pris dans cette folie collective, peut développer envers les autres est hallucinant.

Dans son roman, il montre très bien à quel point la bêtise peut rapidement nous engloutir. Cela rejoignait ma pensée.

Encore une fois, je ressentais l'urgence que nous apprenions à penser par nous-mêmes. La folie extrémiste islamiste nous guette, mais elle est de même origine que toutes les autres folies totalitaires et abrutissantes du XXe siècle. Elle est moins exotique que nous le prétendons, mais elle est tout à fait barbare comme nous savons l'être aussi en Occident.

Si nous l'admettions, nous serions peut-être plus enclins à lutter intelligemment pour notre liberté. Plus humblement en tout cas.

Ce n'est pas en faisant des guerres qu'on y arrivera ou en laissant le pouvoir à quelques dirigeants démoniaques qui pensent que le bien et le mal se tranchent au couteau. Quelle prétention de croire qu'un être humain peut être définitivement à l'abri du mal ! Nous en avons tous une parcelle en nous.

Au nom du bien, ils incarnent la bêtise. Ne sommes-nous pas trop nombreux à nous taire ? Cela nous rend-il complices ?

Mon siège baignait maintenant dans une lumière aveuglante : c'en était trop. Je descendis le petit store. Un peu de lumière m'avait comblée, trop de lumière me faisait rechercher la pénombre. Je pris soudainement conscience de l'importance des contrastes. Le danger de l'excès de lumière à l'instar du danger de l'excès de gloire, de pouvoir et de puissance.

L'importance du partage pour garder l'équilibre. L'importance du mouvement entre clarté et obscurité. L'importance du recul entre soi et les autres. L'importance des rythmes entre la vitesse qui enivre et la lenteur qui recentre.

J'avais toujours eu l'impression d'être le plus souvent du côté de la lumière mais je comprenais, tout à coup, que j'avais autant besoin de cette part d'ombre pour avancer ; c'était grâce à elle que je pouvais trouver une ligne médiane, un équilibre.

Je savais que le chemin de la sagesse était l'acceptation mais, très jeune, déjà, j'avais du mal à accepter l'injustice. Mes questions à ma mère étaient des éternels pourquoi. Pourquoi la laideur, pourquoi la maladie, pourquoi la pauvreté, pourquoi la souffrance, pourquoi la misère, pourquoi la guerre ?

Pourquoi ? Pourquoi ? Comme tous les enfants, je voulais savoir le pourquoi de toute chose, mais j'avais un blocage déraisonnable, une obsession envers les choses sombres. Ma mère, une femme très pieuse, trouvait quelques réponses, çà et là, mais jamais assez, bien sûr, pour me satisfaire.

Comment répondre à des questions qui vont au-delà des réponses ? À l'adolescence, devant l'état du monde, je pris conscience de l'absurdité de certains discours religieux. Je m'étonnais de voir tous ces adultes écouter de tels propos sans broncher. Je n'étais pas seule à penser ainsi, faut-il croire, puisque les églises — celles du Québec en tout cas — ont été désertées depuis. Cela dit, j'ai la foi et je l'ai toujours eue. Je ne suis pas athée, mais plutôt agnostique. Je ne me sens d'aucune secte, parce que je crois que les religions, pour la plupart, ne sont pas autre chose que cela. Je comprends le besoin de se regrouper, l'importance des symboles et des rites. Le contraire serait surprenant avec la démarche d'intelligence collective que j'ai développée.

Mais dès que l'humain perd son sens critique, je m'inquiète. Et c'est malheureusement en foule qu'on semble le perdre le plus rapidement. Je suis donc toujours méfiante devant ces grands rassemblements surtout lorsqu'il s'y dit n'importe quoi. Quant à la religion catholique qui était celle de mes parents, j'ai été vite choquée qu'on n'y admette pas les femmes et que son discours et sa pensée évoluent si peu.

Je trouve peu crédible qu'on nous menace de l'enfer après la mort, alors que nous contribuons à le créer sur terre. En ce moment, j'ai une grande soif de cohérence.

Mon attirance vers la lumière n'a donc rien à voir avec les courants religieux qui ont souvent été à l'origine des guerres. Elle est tout simplement là, depuis aussi loin que je me souvienne. Comme une évidence.

Il y a un côté en moi qui fait tout pour protéger mon innocence. Une candeur qui se réveille systématiquement à la découverte de toute poésie, de toute beauté, de toute bonté. Il y a toujours en moi cette enfant à qui j'essaie de laisser suffisamment d'espace pour rêver. Et c'est à mes rêveries que je dois ma liberté.

Cela dit, ce qui me fait avancer c'est le désir du beau et surtout pas la peur du laid (ou de l'enfer comme diraient certains). Pousser les gens à agir sous la menace est ce qui les infantilise le plus, me semble-t-il.

Ce matin-là, confinée à mon siège d'avion, je compris que je préférais un rai de lumière à une lumière trop envahissante.

Je faisais le parallèle avec l'amour et le bonheur. J'avais toujours pensé désirer vivre un grand amour, un grand bonheur, de grands défis. Aujourd'hui je prenais conscience que la profondeur se trouvait davantage dans le subtil que dans le grandiose.

Avant de quitter Paris, l'ami qui m'accompagnait à l'aéroport avait comparé le bonheur à une toile à laquelle on ajoute de petites touches de couleurs chaque jour. Quelques heures plus tard, en vol, entre deux nuages, je comprenais tout le sens de ce qu'il m'avait dit.

J'avais toujours souhaité de grands changements, de grandes améliorations, mais finalement je réalisai que cela m'empêchait peut-être d'apprécier à leur juste valeur les petites touches que plusieurs d'entre nous ajoutons chaque jour à la grande toile qu'est le monde. Il devait bien y exister une autre façon de voir pour dessiner l'avenir.

Je ressentis alors le besoin de me faire des yeux neufs pour voir le merveilleux dans toute chose.

D'où vient le charisme de certaines personnes dont la seule présence enchante ? La beauté des gens qui rayonnent est une beauté à laquelle je suis particulièrement sensible. Des êtres dont la seule présence éclaire la pièce, donne envie de vivre, de chanter et de rire. En leur compagnie, une belle énergie se propage des uns aux autres, comme la lumière.

En sens inverse, la déprime peut aussi se propager et donner des coups de cafard. **Nous sommes sous influence.**

C'est pourquoi il est si essentiel de doser. Trop d'euphorie n'est pas meilleure que trop de cafard. Dans son livre sur le bonheur, le Dalaï Lama parle de cet équilibre, de cette acceptation, de ce juste milieu propres au bouddhisme. Je l'entendais, le comprenais, mais j'avais beaucoup de mal à l'intégrer au quotidien. La passion est créatrice. En devenant trop équilibrée, je craignais d'être privée de mes impulsions créatrices. Un peu de révolte et de colère peuvent aussi provoquer de belles créations.

Le vol se passait bien, sans trop de turbulences. Les stores étaient baissés, la pénombre avait calmé les passagers qui avaient terminé, depuis un certain temps déjà, leur repas. Certains dormaient, d'autres écoutaient le film. J'entendais au loin le murmure des hôtesses. J'aime ce moment du voyage quand tout se calme.

Au cours de celui-ci, j'avais réalisé l'importance du va-et-vient entre le possible et l'impossible.

J'avais compris qu'en laissant couler le temps entre les mouvements, on pouvait finalement mieux atteindre cette ligne médiane où tout peut devenir possible.

Cette grande sagesse m'était tout à coup révélée grâce à ce petit rai de soleil qui s'était frayé un chemin jusqu'à ma main.

Petit flash d'apprentissage.

Je repensais aux propos de mon ami l'écrivain, Michel Random, dans *La vision transpersonnelle* : « Pour vaincre », écrit-il, « il faut agir de l'intérieur ; le subtil et le qualitatif finissent par triompher car ils portent la toute-puissance du vivant en eux. » Après tout, « un système n'est qu'un système »[2], ajoute-t-il. Il n'y a donc aucune raison de s'avouer vaincu.

Même si le premier combat que nous avons à mener doit se faire de l'intérieur, cela m'avait toujours semblé plus facile à dire qu'à pratiquer.

« Toute prise de conscience », explique Gaston Bachelard dans la *Poétique de la rêverie*, « est un accroissement de conscience, une augmentation de lumière, un renforcement de la cohérence psychique. Sa rapidité ou son instantanéité peuvent nous masquer la croissance. Mais il y a croissance d'être dans toute prise de conscience. La conscience est contemporaine d'un devenir psychique vigoureux, un devenir qui propage sa vigueur dans tout le psychisme. »[3]

Mes voyages en solitaire me faisaient un bel effet. Ils étaient des moments propices à la rêverie. Je sortais rarement mon ordinateur. J'y avais souvent eu l'idée de mes concepts les plus innovateurs. Mais c'était aussi des moments de prise de conscience importants. C'était à la fois fugace et intense comme l'est la rêverie en général.

Dans *Par amour de l'art*, Régis Debray écrit : « Le temps qui se perd en rêveries est le plus propice qui soit pour s'élever du réflexe à la réflexion. Les heures que nous croyons creuses sont nos vrais moments forts, où nous devenons productifs parce que nous ne faisons rien. »[4]

L'avion commençait doucement sa descente. Je sortis peu à peu de mon état second, rangeai mes livres et mon carnet dans mon sac.

Il ne restait plus que quelques minutes avant que je sois à nouveau dans les bras de mon amoureux.

Voyageuse sans bagages, j'étais la première sortie de l'avion. Les douaniers salués, les grandes portes s'ouvrirent. Mon amoureux était là à m'attendre. Avec son beau sourire.

Le plaisir des retrouvailles. La redécouverte de l'autre, même après dix-sept ans.

Ces retours représentent toujours de beaux moments. Je suis, chaque fois, un peu triste de le quitter, mais en même temps, j'adore ces absences entre nous. Pour le plaisir de le retrouver. Pour le désir qui reste entier.

S'il y a certaines beautés du monde qui m'échappent parfois, celle de l'amour m'interpelle toujours.

J'étais enfin de retour dans mon appartement de Montréal, un lieu exquis pour la rêverie.

J'ai conçu ce lieu comme un éloge à la flânerie. J'en ai eu la vision, les yeux fermés, avant même qu'il n'existe. Dans ma vie, j'ai réalisé plusieurs rêves, mais j'ai choisi de vous raconter celui-ci car il est, me semble-t-il, très concret et matériel. Peut-être plus apte à convaincre les sceptiques des temps modernes.

Dès mon plus jeune âge, à mon père qui me disait : « Il faut se contenter de peu quand on est né pour un petit pain. » Je répondais : « Ne t'en fais pas, un jour j'achèterai la boulangerie et il y aura du pain pour tous. » Pourtant, je n'ai rien de la femme d'affaires aguerrie. Je trouvais seulement inconcevable de commencer ma vie dans un espace aussi confiné et étroit. Il m'était impossible de croire que le destin pouvait être à ce point un carcan, avant même d'avoir essayé quoi que ce soit.

Sans le savoir, ce jour-là, mon père m'avait rendu un énorme service. Il m'avait donné la pulsion du désir, l'envie de rêver et la force d'agir.

À partir de ce moment-là, je sus que je ne le ferais pas que pour moi. Je le ferais aussi pour eux, mes parents tant aimés. En agrandissant ma vie, je pouvais agrandir la leur. Cela décupla mes forces. Je voulais leur prouver qu'on pouvait prendre son destin en main et avoir droit, nous aussi, aux privilèges des princes. Rien de moins.

Commencèrent alors mes séances intensives de rêves éveillés. Plusieurs rêves se sont réalisés depuis. D'autres pas encore. L'appartement en était un. Malheureusement, mon père était décédé lorsque je l'ai acheté. Aujourd'hui, j'ai l'impression d'avoir réalisé un de ses rêves. Quant à ma mère, elle en était émerveillée. Il représentait, pour elle, un pas de plus vers ce pacte que j'avais fait avec eux à l'âge de treize ans. Ce pacte qui a été longtemps la semence de tous mes désirs.

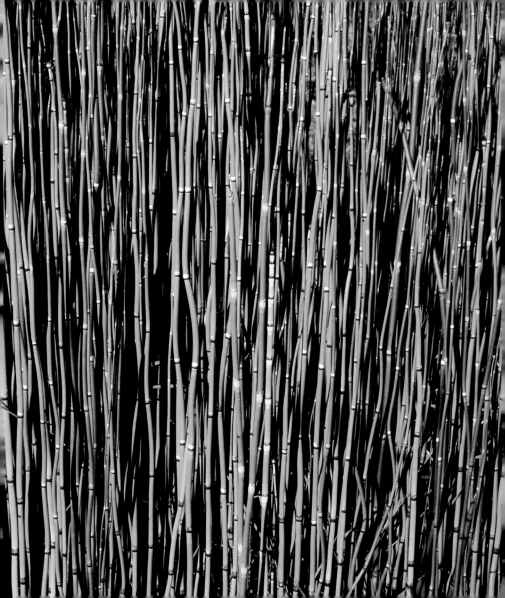

Cet appartement me rappelle constamment la présence du merveilleux dans ma vie.

Son histoire est magique comme l'est toute histoire d'un rêve réalisé. On dit parfois qu'il nous suffit de désirer pour que l'univers conspire pour nous aider. Cette fois-là, j'eus l'impression que ce fut le cas.

Tout a commencé un certain samedi d'été. Nous nous étions promenés dans le Vieux-Montréal. Puis, nous avions visité une exposition au Musée Pointe-à-Callières et avions pris le thé sur la terrasse du restaurant *L'Arrivage*, situé au dernier étage.

C'était la tombée du jour. Une douce brise balayait l'atmosphère. La vue sur le fleuve nous enchantait. Je dis alors à mon amoureux que je rêvais d'avoir, un jour, un appartement avec une telle vue.

Cela nous sembla très improbable. Mais c'était agréable d'en parler. C'était un rêve. Ou plutôt le début d'un rêve.

Les mois s'écoulèrent sans que je n'y repense, ni n'en reparle. Jusqu'au jour de Noël.

Nous avions amené ma mère à la Basilique Notre-Dame. C'était une tradition, cela lui faisait toujours très plaisir.

Cette matinée-là, il faisait un froid extrême. Le thermomètre oscillait autour de moins quarante degrés. Bien emmitouflés, nous marchions tous les trois sur les trottoirs glacés, nous serrant les uns contre les autres, d'un pas pressé, pour retourner rapidement à la voiture. Même le soleil et le ciel semblaient recouverts d'un frimas.

Nos pas ralentirent lorsque nous vîmes dans la rue de la Commune, face au fleuve, un nouveau projet domiciliaire. Nous nous arrêtâmes pour essayer d'apercevoir ce que cachait la haute clôture qui protégeait le chantier.

Je pensai alors que certains appartements auraient une vue sur le fleuve similaire à celle que nous avions admirée, l'été précédent, depuis la terrasse du musée. « Les chanceux », m'étais-je dit.

L'hiver passa, le printemps aussi. Je n'y pensais plus. À la fin de l'été, nous revîmes le projet alors que je me promenais dans le Vieux-Montréal, par hasard, avec ma mère.

La structure de béton était maintenant recouverte. On y vendait déjà des appartements. Je les visitai tous, ou plutôt leur emplacement, repérant ainsi la meilleure vue.

Je manifestai alors mon intérêt, même si je n'avais pas encore les moyens financiers d'effectuer un tel achat. Surtout que mon rêve ultime était d'en acquérir deux, un pour servir d'habitation, l'autre de bureau.

J'allai rencontrer le banquier à qui je dis : « J'ai un rêve. » Il me répondit : « Money talks. » Il fit savoir aux promoteurs du projet qu'il ne fallait pas me prendre au sérieux : j'étais une rêveuse.

En visitant l'appartement au crépuscule, j'avais remarqué de petites lumières bleues qui s'allumaient tout au long du fleuve pour guider la circulation maritime. On aurait dit des étoiles flottant à quelques mètres du sol.

Quelques jours plus tard, j'achetai une poignée de porte en verre de Murano, du même bleu que les petites lumières le long du fleuve. Je trimbalais la poignée dans mon sac, comme un talisman, la montrant à quelques amis complices en leur racontant mon rêve. Chacun avait une petite idée pour m'aider à le réaliser. C'était super.

Les jours et les semaines qui suivirent, je dessinais sur du papier calque les plans de mon prochain appartement.

Tous les soirs, je m'endormais déjà entre ses murs. Il me semblait alors impossible que cet appartement puisse appartenir à quelqu'un d'autre que nous. C'était mon rêve.

D'autres personnes qui avaient manifesté leur intérêt avant moi finirent pas se désister. Lorsque je pus enfin faire une offre, je trouvai finalement la somme nécessaire pour un premier versement. Je ne pensais qu'à ça.

Cela m'étonnait car, avant mes trente-neuf ans, je n'avais jamais eu le désir d'acheter une propriété. Je voulais rester libre d'aller où bon me semblait. L'acquisition de biens m'apparaissait comme une lourdeur, un poids inutile.

Mais cette fois, c'était différent. J'étais ensorcelée par cette vue sur le fleuve, ce coin de ciel, ce vieux quartier. Après cette première victoire, nous trouvâmes l'énergie nécessaire, les mois suivants, pour réaliser suffisamment de mandats nous permettant d'honorer les versements subséquents.

Tout se mettait en place comme par magie. Il y avait une telle concordance, c'était fascinant.

J'avais l'impression que l'univers conspirait pour nous, les portes s'ouvraient d'elles-mêmes.

J'avais négocié pour l'acheter alors qu'il n'était qu'une cage de béton. Je pus ainsi le compléter moi-même au fur et à mesure et lui donner l'aspect dont j'avais rêvé pendant des mois.

Sans être architecte, je trouvai les artistes-artisans prêts à m'appuyer dans mon projet. Je gribouillais mes idées avec des esquisses aléatoires, nous en parlions et, peu à peu, sous nos yeux, mon rêve prenait forme. C'était fabuleux. C'était une création collective.

Tous étaient complices. De l'agent, Louise L'Heureux, aux promoteurs du projet jusqu'à tous les corps de métier, chacun a apporté sa pierre à l'édifice. La qualité et l'originalité du résultat final sont une preuve éloquente de ce que l'intelligence collective peut créer.

Mon amoureux n'avait pas trop voulu s'en mêler. Il trouvait mon rêve trop ambitieux. Il craignait que je ne sois déçue si le projet avortait en cours de route. Il m'appuyait, mais discrètement.

Moi, je poursuivais mon rêve comme un chien son os. Toutes mes énergies étaient concentrées à le réaliser. Aujourd'hui, lorsque je lui dis : « j'ai un rêve », il y a un moment de silence. Il ne lui viendrait plus à l'idée de se moquer — même si le rêve semble très improbable.

C'est pourquoi, après mes absences, lorsque je rentre chez moi à Montréal, cet appartement représente un symbole plus qu'un simple toit. Il est la mémoire, le souvenir vivant de la réalisation d'un rêve qui semblait impossible au départ. Il est l'espoir et l'énergie qui me donnent encore envie de rêver.

J'ai un regard attendri pour chaque coin et recoin de ce lieu qui a été conçu comme un écrin pour le fleuve et le ciel. Car mon coup de foudre ne venait que de là ! Pouvoir vivre en ayant l'impression que le sol de la maison est le prolongement du fleuve, et les murs, du ciel. Ça, c'était le rêve absolu.

Même si j'ai une longue pratique du rêve éveillé, je suis toujours émue lorsque la magie opère à nouveau.

Dès l'enfance, j'allais au lit plus tôt, pour avoir le temps de rêvasser à mon aise avant de m'endormir. J'y ai alors inventé une partie de ma vie. Très jeune, pendant mes moments de flânerie, je rêvais de la femme autonome et libre que je souhaitais devenir.

Je rêvais de ne pas vivre dans les mêmes conditions que mes parents. Je crois y être arrivée. Je rêvais d'un grand amour, complice, complémentaire et réciproque. De tous mes rêves réalisés, il est le plus précieux. Si cela devait se terminer un jour, je serais de toute façon heureuse et reconnaissante d'avoir vécu un si bel amour qui m'a fait grandir intérieurement.

J'ai aussi, bien sûr, des rêves qui ne se sont pas encore réalisés ; mais je n'ai pas dit mon dernier mot, ni fait ma dernière rêverie.

Le rêve éveillé est une clé qui me permet d'avoir accès à des univers qui me seraient, sinon, inaccessibles. C'est la clé de mes désirs. Les jours de tristesse, c'est rêver ou mourir. Les jours de réflexion, c'est rêver pour vivre. Rêver pour inventer. Rêver pour dessiner. Rêver pour voir autrement. Rêver pour créer. Rêver pour agir. Rêver pour aimer. Le rêve éveillé est mon complice de toujours, la première étape de bien des suites.

Désirer ne veut donc pas dire, pour moi, être une éternelle insatisfaite qui fuit constamment dans le rêve pour oublier le réel ; mais plutôt, faire de courtes fuites quotidiennes hors du réel, pour réinventer ma vie sans cesse à l'aide des pulsions créatrices que sont mes désirs et mes rêves.

Rêver, pour moi, c'est comme une gymnastique de l'esprit, une chute dans l'imaginaire, qui me permet d'associer des images à mes idées, de relier ensemble ce que je vois, pressens, entends et désire. Rêver me permet d'inventer.

« L'imagination », telle que l'a définie Italo Calvino, « comme répertoire de potentialités, d'hypothèses, de choses qui ne sont ni n'ont été, ni peut-être seront, mais qui auraient pu être. »[5] Rappelant le *Spiritus phantasticus* de Giordano Bruno où il parle d'un « monde ou un réceptacle, jamais saturé, de formes et d'apparences », Calvino ajoute « ...je crois que toute forme de connaissance doit aller puiser dans ce réceptacle de la multiplicité potentielle. L'esprit du poète, tout comme l'esprit du savant à certains moments décisifs, fonctionne par association d'images, suivant un processus qui constitue le système le plus rapide de liaison et de choix entre les formes infinies du possible et de l'impossible. »[6]

Il me semble que si nous étions plus nombreux à rêver éveillé, ce réceptacle serait encore plus riche. Mais déjà, il s'épuise. Comment rêver lorsque des experts prétendent le faire à notre place ? Comment rêver sans temps libre ? Comment rêver sans moments d'oisiveté ? Sans flâneries silencieuses ?

Le grand danger qui nous menace tient dans nos excès, nos boulimies ; trop d'images saturent nos imaginaires. Trop de musique nous fait taire ; on ne chante plus. Trop de bruit nous assourdit ; un peu de silence s'il vous plaît. Laissons le mystère planer pour favoriser l'éveil de nos imaginaires.

Il semblerait que les enfants souffrent de plus en plus d'insomnie, entre autres choses, parce qu'il y a trop de bruit. Les gens deviendraient sourds de plus en plus jeunes.

De chez moi, la vue est moins belle qu'avant. On a installé des lampadaires trop rapprochés les uns des autres. Ils jettent inutilement une lumière aveuglante qui chasse les étoiles de mon coin de ciel. C'est un appel à tous pour un arrêt sur image. La beauté est en danger !

Je veux prendre quelques minutes par jour pour repartir à zéro. Faire le vide. Italo Calvino voulait nous mettre en garde « contre le danger que nous courons de perdre une faculté humaine fondamentale : la vision nette les yeux fermés, le pouvoir de faire jaillir couleurs et formes d'un alignement de lettres noires sur une page blanche, l'aptitude à penser par images. »[7]

L'imagination est notre plus grande richesse personnelle et collective. Elle est une ressource aussi importante que l'environnement et elle demande toute notre attention.

C'est un appel à tous : fermons les yeux pour mieux y voir. Entretenons nos désirs et nos rêves. Nous verrons bien ce que nous pourrons réaliser en mettant bout à bout les créations issues de notre imaginaire collectif. **Nous sommes sous influence.**

La quête de la beauté doit nous concerner. Nous toucher. Tous, sans exception. Ainsi, toute personne ayant une décision à prendre dans son travail réfléchira autrement et choisira, par exemple, un lampadaire qui éclaire vers le sol, plus légèrement ; il les placera moins rapprochés les uns des autres.

Alors qu'un autre, organisateur de spectacles, ne forcera pas la note de manière abusive sur l'amplification. Apprendre à doser, la fameuse leçon du juste milieu. Un art de vivre. Un art de la beauté qui va à l'encontre de la tendance du méga, du « think big ».

Rêver tout en appréciant joyeusement nos limites ou, comme le disait Montaigne, « jouir loyalement de son être ». Ce que nous faisons, nous, les plus vieux, les jeunes s'en inspirent. Si j'ai rêvé si jeune, c'est grâce à mes parents qui m'ont permis ces moments de rêverie et d'oisiveté. Ces moments de silence. Certains soirs, mon père me faisait asseoir près de lui en me disant : « J'ai un billet de loterie dans ma poche. Que ferais-tu avec cet argent si on gagnait ? » Commençait alors une belle soirée de rêverie et de discussion qui éveillait dans mon cœur le désir de créer et de partager avant même de posséder.

Mes parents m'ont appris que l'acceptation n'avait pas à être passive. Les contraintes pouvaient être, selon le regard et la perception, une hormone d'urgence, une adrénaline pour susciter l'imagerie.

Certains jours, une guérilla des désirs peut pousser à créer ; certains autres, une sérénité pacifiée peut permettre de se reposer. La vie est une multitude de moments présents. Comme nous, la vie change, vibre, tournoie. La vie est mouvement.

Lorsque nous voulons analyser la réalité, nous la figeons. Alors qu'elle ne s'arrête jamais. Elle est constamment en mouvance. Et comme l'écrit René Lenoir : « le mouvement ne crée pas de l'identique, mais du nouveau. »[8]

À quoi attribuer une meilleure concentration ? Une meilleure inspiration ? Les réponses viennent-elles plus aisément lorsque les désirs sont énoncés ? Percevons-nous différemment ce qui nous entoure lorsque nous sommes conscients de nos désirs ? Notre rapport au monde change-t-il ?

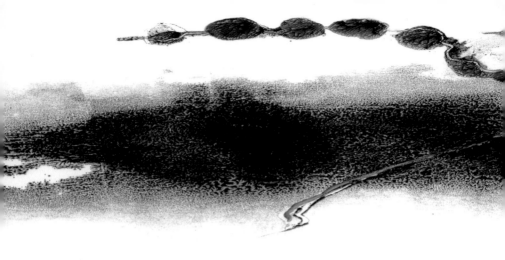

Dès que je porte attention à la manière dont les choses se tissent autour de moi, mes interrogations reviennent de plus belle. De temps à autre, je mets bout à bout des événements qui finissent par faire des histoires extraordinaires. On me dit qu'il se passe des choses magiques dans ma vie mais je pense qu'il en est de même pour nous tous, sauf que nous prenons rarement le temps d'analyser certains détails et de faire les liens entre nos désirs, nos rêves, notre volonté, nos déceptions, nos réussites et nos échecs. La vie m'apparaît

comme une toile que nous tissons, chaque jour, avec tout ce qui nous entoure. Notre regard est déterminant sur le motif créé. Et le regard des autres aussi. Certaines synchronicités sont trop frappantes pour ne pas attirer notre attention. Par exemple, en lisant un livre où l'auteur parle justement de choses qui nous interpellent au point où on a l'impression qu'il répond directement à nos questions. Certains événements peuvent aussi prendre une tournure très spéciale selon notre émotivité à cet instant précis. À un autre moment, le même événement, le même livre ou film, nous ferait un tout autre effet ou nous laisserait complètement indifférents. Et que dire des rencontres vraiment importantes, des rencontres dont on a l'impression qu'elles changent nos vies. L'amour, l'amitié, les projets professionnels, tout se tisse. On dirait parfois une connivence entre nous et l'univers. Entre nos désirs et la vie qui se construit.

La nature, la mode, les médias, les lieux publics nourrissent l'insconscient collectif dans lequel chacun puise abondamment. Avec un certain regard, une certaine présence, on y découvre des signes.

Si nous recherchons un décor pour le théâtre, par exemple, les objets nous interpellent. Si nous écrivons une histoire, la moindre scène de rue peut nous mettre sur la piste d'un nouveau développement.

« ...laisser intervenir ce que nous nommons hasard, c'est accepter de prendre du recul par rapport au fonctionnement habituel de notre esprit, abandonner pour un temps nos tendances interventionnistes afin de laisser apparaître des signes où puissent se lire des analogies entre ce que nous percevons et ne percevons pas », explique Pierre Faure. « Lorsque nous produisons de tels signes, nous accomplissons le lâcher-prise qui permet, non pas d'opérer des interprétations douteuses à partir d'intuitions échevelées, mais d'obtenir des descriptions permettant de nous dégager du point de vue étroit dans lequel nous étions enfermés… »[9]

Nous passons notre temps à fabriquer des histoires avec notre propre vie et celle des autres. Notre mémoire retient certains faits et notre cerveau fait le remplissage nécessaire pour lier le tout. Selon les récentes avancées scientifiques, particulièrement en physique quantique, la réalité que nous percevons serait créée par notre cerveau.

Si mon cerveau crée la réalité, il est évident que, pour moi, le désir a toujours été créateur. Je ne suis pas de ceux et celles qui se privent de rêver ni d'espérer par peur de souffrir.

S'il est vrai que je tombe parfois de haut, à chaque petite désillusion — qui sont forcément nombreuses — mes idéaux, eux, reviennent toujours comme de jeunes pousses se frayant une route partout, même à travers le roc. J'ai besoin d'utopies pour avancer. Si je n'entrevois pas la possibilité d'une vie meilleure, d'un monde meilleur, j'ai tout de suite l'impression de tourner à vide.

Ce qui ne veut pas dire que je n'apprécie pas pleinement l'instant présent. Disons que je l'apprécie davantage lorsque j'ai l'impression de le vivre avec tout mes sens et de participer, en rêves, en esprit et en actes, à sa construction.

Ne devrions-nous pas laisser les jeunes désirer davantage ? Vouloir combler leurs manques dans l'instant ne tue-t-il pas leurs désirs et même leurs envies de désirs ? Ne réduit-il pas leur capacité de rêver éveillé ? Ne les empêche-t-il pas de développer leurs forces psychiques ?

Je n'ai aucune idée d'où me vient cette façon de m'accrocher à un idéal, je sais seulement que c'est là depuis toujours.

Une conviction d'enfant enfouie au fond de moi. Une façon de chercher un sens en associant mes désirs personnels à des utopies. Une méthode peu cartésienne qui donne des résultats étonnants. Un peu comme si je fabriquais dans mon imaginaire, à partir de l'étoffe de mes désirs, des paysages que la réalité me rend plus tard. Un procédé que j'ai du mal à expliquer, mais qui m'a toujours fait croire que tout était possible.

En fait, il s'agit d'un jeu d'enfant que je n'ai jamais voulu cesser. Pourquoi cesser une activité qui me procurait autant de plaisir ?

On peut voir la vie comme un combat. Je préfère la voir comme un jeu et faire mes choix en conséquence.

« L'enfant qui ne joue pas n'est pas un enfant, mais l'homme qui ne joue pas a perdu à jamais l'enfant qui vivait en lui et qui lui manquera beaucoup, » écrit le poète Pablo Neruda dans son autobiographie.

Même si nous vivons à une époque de mépris envers les utopies, il me semble essentiel que nous nous accrochions à nos idéaux. Au point où j'en ai fait la base de mes séminaires sur le leadership et la créativité. Ces ateliers deviennent alors de beaux prétextes pour partager mes interrogations avec d'autres, mettre en commun nos réflexions et surtout expérimenter de nouvelles approches afin de comprendre un peu mieux les processus de création collective, sans avoir la prétention de réussir à élucider le mystère, sachant fort bien que la connaissance entraîne souvent plus de nouvelles questions que des réponses définitives.

Les enfants qui ont beaucoup souffert dans leur enfance et qui réussissent à transformer leur souffrance en épreuves pour se construire une vie devraient nous inspirer : « ...presque tous ceux qui s'en sont sortis ont élaboré, très tôt, une théorie de vie qui associait le rêve et l'intellectualisation. Presque tous les enfant résilients ont eu à répondre à deux questions. La première : "Pourquoi dois-je tant souffrir ?" les a poussés à intellectualiser. " La seconde : "Comment vais-je faire pour être heureux quand même ? " les a invités à rêver. Quand ce déterminant intime de la résilience a pu rencontrer une main tendue, le devenir de ces enfants n'a pas été défavorable, »[10] explique Boris Cyrulnik dans *Un merveilleux malheur*.

Quand une main leur a été tendue. Voilà matière à réflexion. Sommes-nous suffisamment à l'écoute pour tendre une main à l'autre ? Sommes-nous suffisamment présents au monde ?

Pour chacun d'entre nous la vie est un combat ou un jeu fait pour apprendre et se construire. Antonio Negri dit même que « La vie est une prison quand on ne la construit pas. »[11]

C'est le combat du héros. « Dans les société primitives, on accédait au statut d'adulte par une série d'épreuves initiatiques. Et dans toutes les civilisations, le héros qui s'offre au danger réalise l'accomplissement de son être. »[12] nous rappelle Michel Lacroix.

Éveillons nos désirs. Rêvons nos vie. Retrouvons un idéal. Est-ce un jeu si difficile ? Et si nous aspirons à faire partie d'une civilisation digne de ce nom, cessons de faire des victimes nos héros. Encourageons-nous les uns les autres à réaliser l'accomplissement de nos êtres en prenant conscience que nous avons tous de l'imagination, pourvu qu'on accepte de rester seul assez longtemps, dans un certain silence, pour qu'elle se manifeste.

C'est un appel à tous. Rêvons le monde. Multiplions la beauté. Fuyons le réel, quelques minutes par jour seulement, pour prendre le temps de le recréer.

Voilà quel était mon rêve cet été-là. Un été qui tirait déjà à sa fin. Le temps se rafraîchissait légèrement. L'été s'enfuirait à pas de loup. L'automne serait à nos portes sous peu. À ma grande joie, le calme revenait sous mes fenêtres. Mais ma vie, elle, redevenait trépidante.

Montréal, août 2002

LA PART DE RÊVE

« Le plus-être de l'homme ne viendra pas de ses actions, même les plus belles et les plus exaltantes, mais bien de la contemplation qui les a précédées et qui devrait les suivre. »[1]

Gilles Vigneault

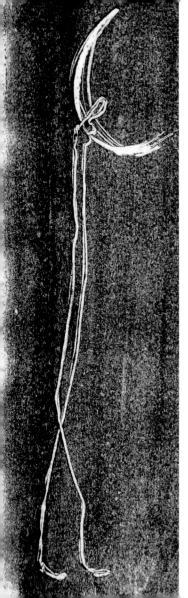

Depuis deux ans, ma vie ne me disait plus grand-chose. Il me semblait que je devais prendre de nouveaux risques pour l'agrandir. Je répondais poliment aux demandes que je recevais, préoccupée davantage de ne pas déplaire aux autres plutôt que d'écouter mes propres désirs.

À force de dire oui avec ma tête et non avec mon cœur, j'avais de plus en plus l'air maussade. J'avais perdu mon sourire. Je m'assombrissais.

Je me sentais à l'étroit dans des mandats qui ne soulevaient plus ma passion. Certains jours je regardais le monde avec déception. L'argent ne pouvait être une assez bonne raison pour que je continue ainsi.

Huit mois plus tôt, j'avais prévenu un client que je le quitterais. La date d'échéance approchait. Je savais que je devais prendre de grandes décisions avant que ma colère ne se retourne contre moi.

Plus que jamais je désirais me construire une vie qui s'harmoniserait avec mes envies.

Même si les quatre prochains mois allaient être ponctués de nombreux déplacements entre Montréal et Paris, sans compter les vols intérieurs, je savais que la fin approchait et que je retrouverais, ensuite, un peu de calme et de liberté pour réfléchir à mes désirs.

Les jours gris, les jours de pluie, Internet me réservait souvent des surprises. Mettant de l'ordre dans mes notes, je constate à quel point mes carnets de différentes couleurs sont parsemés de courriels de lecteurs. J'ai imprimé les plus beaux et les ai laissés, aux dates reçues, dans mes journaux. Ils côtoient mes notes quotidiennes.

Pour écrire ce livre, je relis mes anciens journaux et je retrouve ces beaux messages de lecteurs me remerciant pour *La cité des intelligences* qui, semble-t-il, les accompagne dans les moments difficiles.

Je leur suis reconnaissante de leurs témoignages, car ils me donnent l'impression de participer un tout petit peu à la lumière du monde.

Cela me donne un léger sentiment d'utilité. Surtout les jours de cafard où j'ai l'impression que notre époque glisse vers la décadence.

Lorsque je constate avec quelle vulgarité on exhibe des corps pas toujours gracieux, lorsque j'entends ces paroles crues, lorsque je remarque le peu de respect envers les autres et envers la nature, lorsque je lis dans les journaux la popularité des séries pornographiques aux heures de grande écoute, j'avoue me sentir hors du temps, à contre-courant, et pour tout dire, complètement inutile... Je me sens d'une autre époque.

Je me sentirais très seule si ce n'était de mes lecteurs et de leurs messages. Ils sont de tous âges et m'écrivent que mon livre les réconforte. Eh bien, qu'ils sachent que leurs témoignages me réconfortent tout autant ! Ils sont, pour moi, la preuve vivante que l'*École des désirs* pourrait exister un jour et qu'elle pourrait nous aider à nous comporter avec plus de noblesse, de compassion et de poésie. Non. Je ne suis pas seule.

Ces lecteurs me donnent envie de donner le meilleur de moi-même dans mon métier d'être humain, d'aller au bout de mes possibilités. Comme eux semblent vouloir le faire, aussi.

Les bons jours, je me disais qu'à plusieurs c'est fou ce qu'on pourrait faire, ce qu'on pourrait réussir. Et dès que j'y pensais cela renforçait ma décision de me retirer du monde un certain temps pour leur écrire à nouveau.

Mais cela demandait une préparation. On ne se retire pas impunément du monde lorsqu'on travaille à son compte. D'ailleurs, l'annonce en a surpris plusieurs. Il est vrai qu'être en pleine activité comme je l'étais et vouloir soudainement tout arrêter pouvait sembler étonnant.

Nous vivons à une époque où les courtes retraites surprennent. Nous avons perdu l'habitude des ermites, de leur vie et de leur quête.

Mon amoureux, lui, avait tout compris. Il m'avait alors dit : « Tu veux créer le vide autour de toi pour aller à l'essentiel, comme en peinture chinoise. »

Ma cliente (et surtout amie) Isabelle avait, elle aussi, tout de suite compris. Elle m'avait écrit : « C'est beau, tu me donnes l'impression d'un oiseau sur une branche qui va enfin pouvoir s'envoler après un long arrêt. »

Oui, je n'avais plus que quelques mois à tenir. Cela me rendait légère et, faute de pouvoir effacer mes cernes, cela me faisait retrouver mon sourire.

C'était déjà ça de pris.

Dérober l'invisible. Pendant mes ateliers de créativité, il m'arrive de demander aux participants de fermer les yeux. Pas très longtemps. Quelques secondes à peine, le temps de faire une pause de la réalité. Une petite pause pour oublier la violence, la guerre, la pauvreté, la bêtise, le bruit, la surconsommation, la vitesse, le trop-plein.

Certains le font, d'autres semblent avoir peur de s'absenter ainsi. Mais j'insiste. C'est mon acte de partage. Ma façon de leur ouvrir mon livre des secrets. Car pour moi, il y a là une vraie clé. C'est le premier pas vers la rêverie.

Les paupières closes, je m'envole dans un monde imaginaire... j'invente demain. Et puis, je ne sais plus le moment précis où l'irréel se transforme en réel. Ce que je sais, c'est que des pans de mon imaginaire deviennent quelques années plus tard des pans de mon existence. J'essaie donc de les entraîner dans mes jeux pour qu'à leur tour, ils perçoivent la puissance de leur imaginaire.

Certains jours, c'est le réel qui semble se transformer en irréel. Et c'est ce va-et-vient constant du réel à l'irréel, de l'irréel au réel, qui me force à vouloir comprendre, sachant fort bien qu'une part d'inconnu se refusera toujours à ma raison. Tout n'est pas que lumière.

Je n'ai ni recettes, ni réponses. Je suis simplement une accompagnatrice qui se laisse autant surpendre que les participants.

J'aime de plus en plus explorer l'ombre, les reflets, les clairs-obscurs plutôt que la lumière. J'ai l'impression d'y voir plus clair, comme ces jours de soleil ardent quand on recherche l'ombre des feuillages pour fuir l'éclat brutal et retrouver la vue.

Dans notre société moderne, nous sommes matraqués d'images. Les espaces vierges se raréfient. Qu'en est-il de nos chimères et de notre imaginaire ?

« L'idée première de la *Comédie humaine* », écrit Balzac, « fut d'abord chez moi comme un rêve, comme un de ces projets impossibles que l'on caresse et qu'on laisse s'envoler ; une chimère qui sourit, qui montre son visage de femme et qui déploie aussitôt ses ailes en remontant dans un ciel fantastique. Mais la chimère, comme beaucoup de chimères, se change en réalité ; elle a ses commandements et sa tyrannie auxquels il faut céder. »[2]

Un atelier de créativité doit forcément faire référence à cette quête d'ombre et d'imaginaire afin d'encourager les participants à céder à leurs chimères, m'obligeant parfois à tenir des propos insolites puisqu'ils mêlent émotion et raison, abstrait et concret, lâcher-prise et contrôle, visible et invisible.

Pourquoi ce mélange ? Peut-être parce que la vie se plaît à embrouiller ce qu'on tente de trop démêler. Peut-être à cause du plus soif des petites cases, des titres, des fonctions bien ordonnées, des disciplines, des segmentations que nous avons érigées en systèmes et en modes de pensée. Peut-être parce qu'après deux siècles de rationalisme aigu nous sentons ses limites craquer de partout. Ou peut-être simplement pour créer un peu de désordre afin de découvrir quel dessein et quelle musicalité humaine se cachent derrière le chaos.

Je ne connais pas le pourquoi des choses. J'ai simplement signé un pacte de liberté avec moi-même, bien décidée à laisser émerger les questions et les idées qui me passent par la tête (et par le cœur). Un désir de devenir de plus en plus nomade avec pour baluchon des questions sur la vie, le rêve, l'inconscient, le bonheur, la passion, l'intellect, la conscience, l'apprentissage, l'expérience, le pouvoir, le monde...

Surtout, pas de réponses. Peut-être quelques intuitions. Comme si dans le seul acte de partager mes préoccupations pouvaient se trouver enfouis des repères dont je ne soupçonne pas encore l'existence. C'est seulement en fin d'atelier que je peux dire si mon stratagème a fonctionné. Si la magie s'est manifestée.

Vous aurez compris que mes propos sont une réflexion libre, un dialogue pour essayer d'y voir plus clair, sans prétention d'aucune recette gagnante à offrir. Plutôt des impressions et parfois de petites révoltes parce qu'une nature passionnée ne se change pas comme ça.

« ... je préfère » comme l'écrit Carl G. Jung, « le don précieux du doute, qui laisse intacte la virginité des choses qui nous dépassent. »[3]

Cette approche hors norme avait pris naissance le jour où un chaos s'était installé en ma demeure intérieure. L'élément déclencheur avait été le décès de ma mère, mon amour.

Les jours et les semaines qui avaient suivi son décès, une souffrance que je n'imaginais point possible était apparue. Peu à peu des portes de fragilité s'étaient ouvertes, laissant entrevoir de nouvelles questions, de fortes intuitions et des failles.

Puis, toutes mes certitudes, les unes après les autres, s'étaient effondrées, me laissant dans un état de confusion où la terre ferme semblait se transformer en sables mouvants sous mes pieds.

Du jour au lendemain, le trou noir. J'avais du mal à savoir qui j'étais. Mon cœur était oppressé par l'angoisse. Je ne savais plus quels étaient mes désirs et ma destination. Je voulais trop un jour, et plus rien le lendemain.

Il ne s'agissait plus de doutes (habituels chez moi), mais d'une profonde remise en cause, du droit même d'exister, rendant impuissants tout l'amour et l'amitié de ceux qui m'entouraient.

Je n'étais pas dépressive, j'étais souffrante de l'absence d'un être profondément aimé. Et j'ai cru vivre par cette souffrance une métamorphose à l'image de celle décrite par Kafka, faisant ressortir tous mes démons intérieurs dont j'ignorais jusque-là l'existence. Tout n'est pas que lumière.

Trois années s'étaient écoulées, déjà, depuis cet hiver-là. Je me souviendrai toujours de ce voyage éclair à Paris pour affaires. Quatre jours à peine. Je n'y connaissais presque personne, mon livre n'était pas encore sorti là-bas et, par conséquent, je n'y avais pas d'appartement. J'avais un léger cafard qui ne me quittait guère depuis bientôt cinq mois.

Après une longue promenade, un dimanche après-midi pluvieux de février, je me suis assise dans un minuscule théâtre de l'île Saint-Louis, mes vêtements encore trempés de cette humidité qui vous transperce les os. Grelottante dans l'obscurité, j'ai reçu comme un baume cette phrase de Nietzche : « Il faut avoir un chaos en soi-même pour accoucher d'une étoile qui danse. »

La voix de basse du comédien Marc Zammit, faisant redécouvrir toute l'essence poétique de Nietzsche, accompagnée tantôt des chants latins a cappella des choristes, tantôt des notes du pianiste Alain Kremski, avait été pour moi ce jour-là un hymne à la vie, laissant une lueur d'espoir se frayer un passage jusqu'à mon cœur. Je sentis enfin que je pourrais revivre.

Les jours où la vie m'envoie des signes de ce genre, je deviens un peu plus humble. Je sens les limites de ma volonté et je reçois comme de mystérieuses perles de verre, porteuses d'un message alchimique dont j'aimerais bien connaître un peu plus la signification.

En d'autres mots, je ne peux expliquer pourquoi, mais ces quatre jours dans un Paris pluvieux avaient réussi à réchauffer mon âme. J'allais enfin un peu mieux. Avec du recul, j'y perçois comme un signe presque prémonitoire, puisque quelques mois plus tard Paris allait devenir un lieu très important pour moi. Mais à ce moment-là, je l'ignorais.

Je ne sais comment c'est pour vous, mais il arrive qu'une personne — sans s'en douter — réponde, juste au bon moment, à une interrogation importante que je me posais. Cela me fascine chaque fois.

Les signes, me semble-t-il, arrivent rarement au moment où on les attend, mais souvent au moment où on en a vraiment besoin.

Personnellement, c'est par le biais de l'art, de la poésie et de la nature, que j'appréhende les plus beaux. Bien sûr, il faut une écoute particulière, car ils se font parfois si discrets qu'on a l'impression qu'ils ne souhaitent être entendus que par des âmes vulnérables et sensibles.

Comme si une certaine fragilité donnait accès à un mode de connaissance immanent en chacun, refusant toutefois de se révéler si cette fragilité ne se manifeste pas.

Comme si la clé d'accès devait être une certaine humilité que tout parcours un peu difficile aide à acquérir.

En fait, nous avons tous une potentialité d'écoute, mais il est vrai qu'une vie pressée, trop orientée sur les apparences, la performance, le profit, la technologie à outrance, peut parfois distraire de soi-même, rendre sourd et aveugle.

Voilà en quoi mes propos peuvent sembler incongrus, lors d'un séminaire ou d'une conférence, à des représentants d'une société du capital qui combine les extrêmes du trop-plein et du trop-vide.

Que veut-on nous faire croire ? Qu'après le progrès, c'est la technologie (sous-entendu les outils de communication) qui résoudra nos maux sociaux et permettra de créer un grand village planétaire ? Permettez-moi d'en douter.

Je m'étonne toujours de certains propos et du peu de réaction qu'ils suscitent. Dans un article du magazine *Vanity Fair*, un producteur de Time-Warner affirmait que, « dans nos sociétés actuelles, ce sont les canaux de diffusion qui prédominent sur les contenus. Les diffuseurs deviennent plus importants que les créateurs sur les marchés, il est donc normal de les payer plus cher ».[4]

Moi qui accorde tant d'importance aux créateurs ! « Tristesse », avais-je alors pensé.

Quelques mois plus tard le diffuseur Internet America On Line acquérait Time-Warner. Sous nos yeux incrédules, nous basculions dans une société unissant à jamais le destin des créateurs à celui des diffuseurs.

Au moment où je m'interrogeais sur l'influence de ce mariage d'intérêt sur la qualité des contenus, l'indépendance des créateurs, le risque d'uniformisation, la perte d'objectivité, la distance saine à maintenir entre le commercial et la création de contenu, j'entendais surtout parler de méga-dollars pour une méga-transaction.

Car, qu'il s'agisse de la société de l'information ou de celle du savoir, les deux sont à la solde d'une même méga-société, celle du capital. À l'image de l'être humain, cette transaction porte en elle le meilleur et le pire. Elle ouvre à la fois la porte de tous les possibles et celle de tous les cauchemars.

De tous les possibles, parce qu'elle peut permettre une grande diffusion de contenus qui pourraient générer une nouvelle démocratie, un plus grand accès au savoir, un partage des connaissances, un lieu de création collective, une vraie rencontre des cultures, une éducation accessible au plus grand nombre et j'en passe.

De tous les cauchemars, parce qu'elle risque d'engendrer encore plus d'insignifiances, de non-qualité, de manipulation, d'abus de pouvoir, de courses effrénées au capital, de soif insatiable de tout contrôler, tout posséder. Hélas, certains « reality shows » et séries pornographiques montrent déjà la tendance décadente qui se dessine.

Entre ces deux extrêmes de noir et de blanc il y a, bien sûr, toutes les nuances que nous esquisserons sur cette toile de tous les possibles. Qu'on le veuille ou non, et même si cetains jours nous souhaiterions prendre nos distances face à des actes que nous réprouvons, cette grande œuvre est, en partie, la nôtre.

La transaction d'AOL-Warner n'est historique que parce qu'elle a été la première. Elle a été suivie par plusieurs autres, menées tambour battant par des aspirants conquérants attirés par ce même méga-pouvoir, faisant d'eux nos nouveaux héros, cowboys des temps modernes ayant troqué le fusil pour le dollar.

La réussite attend ceux qui savent bouger vite. On le sait. Le hic, c'est qu'à force de bouger à la vitesse grand V, penser à demain est presque impossible. On vit dans l'urgence. On pense à maintenant, là, tout de suite et on se fiche souvent des conséquences pour ceux qui suivront.

Notre rapport au temps est immédiat et notre besoin de richesse, insatiable. Nous n'avons jamais été aussi bien équipés pour communiquer mais n'avons jamais aussi peu communiqué. La communication devient une instrumentation au point d'en oublier le rapport à l'autre, et, par conséquent, le rapport à soi-même.

Depuis plusieurs années, on voit dans la technologie tant de promesses qu'on en oublie l'importance de la qualité des contenus.

Si les technologies sont, en principe, au service des créateurs, elle sont surtout au service des marchands qui, enivrés par les profits, diffusent n'importe quoi pourvu que ça rapporte gros.

À force de diffuser des contenus faibles, certains pensent nous abrutir pour ensuite nous faire croire à leur utopie communicationnelle et nous faire oublier le danger pour la démocratie qu'ils représentent avec leurs méga-structures et leurs nouveaux pouvoirs centralisés.

Armand Mattelart nous met pourtant en garde : « Le noyau dur des techno-utopies », écrit-il, « est la pensée managériale, qui entraîne la perte de toute intelligibilité du monde en le dépeuplant de ses enjeux et de ses acteurs. C'est la fin de tous les acteurs sauf un, le manager qui se déresponsabilise parce que tout est global. »[5]

Nous sommes toutefois de plus en plus nombreux à nous inquiéter et à nous poser des questions :

À quoi ressemblera le prochain millénaire ?

Qu'adviendra-t-il des écoles et des entreprises ?

Jusqu'où se poursuivront la guerre des méga-fusions et la course aux profits ?

Quel sera le rôle du politique pour contrôler ces oligopoles mondiaux ? Et la mégalomanie de certains dirigeants ?

Serons-nous les victimes (et à la fois les concepteurs) d'un marketing toujours plus puissant et manipulateur ?

Les questions tournaient dans ma tête. J'étais contente de ma décision de tout arrêter, car je ne voulais surtout pas participer à un film allant à l'encontre de mes convictions. Et ce, même si je n'avais aucune idée de ce que je ferais ensuite. Je savais seulement que je devais réagir.

Chacun de nous, tantôt producteur, tantôt consommateur, tantôt acteur, tantôt spectateur, participe, consciemment ou non, à cette vie collective.

Une façon d'y participer davantage serait peut-être de développer nos qualités anticipatrices. Déjà, bon nombre d'entre nous partageons les mêmes doutes. Qui n'a jamais réfléchi, même vaguement, à l'importance de pacifier le monde ? Qui ne s'est jamais inquiété du type de société que nous léguerons à nos enfants ?

Échanger nos incertitudes, c'est accepter de participer au débat. Oser demander, même si on a l'impression que notre voix ne vaut pas grand-chose, si la violence présentée dans les produits de divertissement pollue l'imaginaire de nos enfants, si les méga-groupes, plus influents que tous les gouvernements réunis, accepteront de réduire leurs profits pour vraiment protéger la planète et respecter la vie et les êtres humains.

Oser se demander pourquoi il y a tant de suicides dans les pays riches. Parlant de riches, pourrons-nous encore longtemps supporter la pauvreté extrême sans nous remettre en question ? L'argent restera-t-il encore longtemps notre dieu ? Aurons-nous le courage d'accorder à l'éthique l'importance qui doit lui revenir ? La démocratie évoluera-t-elle ? Comment pourrions-nous mieux vivre ensemble ?

Les réponses que j'avais envie d'entendre étaient celles de tous, car j'avais la conviction que les pistes d'amélioration viendraient d'une nouvelle communication, d'une pensée plus collective.

Nous avons la capacité de nous projeter dans le temps, mais paradoxalement nous sommes portés plus que jamais à nous enraciner dans l'immédiat au détriment d'un certain désir de construire l'avenir. Nous sommes bien sûr condamnés à naviguer entre un fatalisme, à la fois obligatoire et sage, et un volontarisme qui encourage l'action et la construction de l'avenir. Il nous faut trouver un juste milieu.

Notre perte de désir et notre peur de demain s'expliquent fort bien. Certaines questions concernant l'avenir de l'humanité sont plus complexes que jamais. Entre les promesses des bienfaits qu'apporteront les bio-technologies et le génie génétique, et la crainte que ces puissants outils tombent entre les mains de personnes sans scrupules obnubilées par le pouvoir et le contrôle de la destinée des peuples, l'écart est mince.

De tels individus ont existé, existent et existeront. Ainsi que leur contraire, fort heureusement. Une bonne intention peut mener à une action dévastatrice, tout comme son contraire. Tout n'est pas que lumière. « Le mal doit être considéré avec autant d'attention que le bien », explique C. G. Jung, « car le bien et le mal ne sont finalement rien d'autre que des prolongements et des abstractions idéels de l'action, tous deux faisant partie du clair-obscur de la vie. En dernier ressort, il n'est de bien qui ne puisse susciter de mal, ni de mal qui ne puisse engendrer de bien. »[6].

Faire preuve de trop de certitudes est très dangereux. Personne n'a le monopole du bien, ni de la vérité. Soyons prudents. Soyons humbles. À l'heure du troisième millénaire le pire peut arriver, comme le meilleur. D'ailleurs, si nous connaissions déjà la réponse, la vie serait insupportable. Les incertitudes, la quête, le chemin représentent, après tout, le sel de la vie. La vie comme un grand projet de création. Vue ainsi, n'est-ce pas une grande chance qui nous est donnée pour créer quelque chose de bien ?

Entre deux vols, quatre rendez-vous et cinq conférences téléphoniques, j'avais ce désir fou de mieux participer. Même si je ne savais comment, j'étais persuadée que mes actions quotidiennes étaient une pièce du puzzle du futur.

Nos vies sont des maillons dont la qualité contribuera à la qualité (ou à la non-qualité) de ceux qui suivront. Nous sommes tous liés. Ceux d'hier. Ceux d'aujourd'hui. Ceux de demain.

Le désir de construire l'avenir se traduit par le goût d'inventer. Ce désir déclenche en moi l'envie de créer, même si je sais que je n'invente rien, je révèle, je réagence, j'interprète. Je sens que tout est là, latent, sous mes pieds. Je suis sous influence. Si je travaille bien, on verra apparaître peu à peu la photographie. Je ne suis autre chose qu'un révélateur.

Le désir de construire l'avenir ne m'enlève aucunement le plaisir de l'instant. J'aime le moment présent, je me laisse ravir par les phénomènes inattendus. J'aime les signes, les rencontres qui font naître une nouvelle amitié, nous font acquérir une nouvelle connaissance de soi-même. L'autre, comme révélateur de soi. Soi, comme révélateur de l'autre. La belle complémentarité de l'amour et de l'amitié.

En même temps, je suis curieuse de voir ce que je ne vois pas. Je crois comme Edgar Morin : « ...que notre esprit est encore profondément sous-développé, ainsi que nos possibilités de connaissance, de pensée, de conscience et même nos possibilités affectives... Si le ver peut devenir papillon, pourquoi ne serions-nous pas capables d'une métamorphose de ce type-là ? »[7]

Le désir de construire l'avenir est justement lié à ce désir de se transformer. Ce souhait de voir nos liens se raffermir avec la nature, l'invisible et entre les peuples. La métaphore du papillon me fait entrevoir la possibilité d'une nouvelle unité de la pluralité. Une harmonie sans lourdeur, laissant place aux différences. Je vois une certaine légèreté à être ce que l'on est et à laisser l'autre l'être aussi. Je vois un espoir dans le respect des uns et des autres. J'y vois même la possibilité d'une belle complémentarité.

Des auteurs, comme Antoine de Saint-Exupéry, sont des êtres d'exception qui nous ont aidés à vivre lorsque leur poésie a traversé notre vie. Il y a eu aussi d'autres êtres qui se sont distingués à leur manière, non par la poésie de l'amour, mais par le venin de la haine. Hitler, Staline... pour n'en citer que deux. À nous de choisir notre camp.

Il me semble, par contre, bien légitime de se demander quelle est cette fleur du mal, cette drogue, qui pousse l'homme à vouloir se substituer à un dieu pour décider de la destinée d'autrui ? Les joggers qui abusent de leur sport franchissent un seuil où ils sécrètent de l'endorphine : ils deviennent ivres de courir. Que sécrètent donc ceux qui exercent trop de pouvoir ?

Si seulement chacun d'entre nous pouvait éveiller ses sens pour se réapproprier les pouvoirs de sa vie et être pleinement présent, nous pourrions alors peut-être créer ensemble un monde à la fois plus intelligent et plus magique.

Mais pour cela, chacun doit d'abord accepter une première mue et chercher le nectar qui nous donnera des ailes au lieu de nous les couper. Un nectar qui serait une savante potion intégrant le mal et le bien, la vie et la mort, la souffrance et le bonheur. Un point d'équilibre pour essayer de mieux affronter les épreuves du destin et accepter l'ombre, sachant que la lumière chasse les ténèbres.

«Si le ver peut devenir papillon, pourquoi ne serions-nous
pas capables d'une métamorphose de ce type-là. »
Edgar Morin

Cela me semble urgent, car les prochaines questions auxquelles nous devrons répondre sont encore plus complexes que les précédentes. Quelles conséquences nos décisions auront-elles sur les sociétés futures ? Le désir d'être cloné, par exemple, correspond-il à un désir d'éternité ?

« Surtout pas de clonage », disent certains. Mais comment y réfléchir si nous agissons seulement dans l'immédiat et si nous avons abandonné notre pouvoir à des instances étatiques, politiques ou économiques ?

Si, à force d'être manipulés par le marketing, nous avons perdu notre sens critique. Si, à force d'être formés à l'école du profit, nous avons perdu notre capacité de réfléchir. Si, à force d'être pressés, nous avons perdu le temps nécessaire pour créer ce que certains qualifient de superflu et d'inutile, la poésie par exemple, cette futilité si essentielle à l'âme humaine. Qu'adviendra-t-il de nous ?

Je dis cela, sachant qu'il y aura toujours des poètes et des artistes pour nous faire rêver et nous donner à voir les beautés du monde qui nous échappent parfois.

Mon intention n'est pas de poser un jugement sur les sociétés modernes, mais d'inviter à une réflexion collective sur leurs potentialités encore insoupçonnées. Ce n'est donc pas une invitation à revenir aux temps anciens, mais une simple mise en garde. En mettant l'accent sur les profits et l'utilitarisme, on tarit la source pourtant féconde d'une modernité qui a apporté son lot d'avantages. Ne pourrions-nous pas profiter au mieux des avancées scientifiques et technologiques, tout en développant une nouvelle conscience du monde ?

Pourquoi toujours ces extrêmes entre la raison et l'émotion ? Pourquoi toujours cette pensée manichéenne ? Imaginer demain, voilà le jeu de l'esprit auquel j'aimerais vous convier. De quelle société rêvons-nous ? Quelles qualités souhaitons-nous développer ?

« Le cerveau projette sur le monde ses perceptions internes,
il construit sa perception en fonction des actions qu'il prépare. »
Alain Berthoz

« Le cerveau n'est pas une machine réactive, c'est une machine proactive qui projette sur le monde ses interrogations. »[8] écrit Alain Berthoz dans *Le Sens du Mouvement*. La science nous rassure quand elle affirme que notre mémoire sert davantage à pressentir l'avenir qu'à nous rappeler le passé. Mais elle ne nous livre pas pour autant un mode d'emploi. Cette quête de l'invisible nous appartient.

Pour scruter l'invisible, il nous faut apprendre à voir de l'intérieur. Ce qui n'est pas une mince affaire. Le plus sage conseil que nous pourrions suivre est celui de Thierry Gaudin qui nous invite à éviter le piège de Nasreddin Hodja cherchant ses clefs sous le réverbère parce que c'est éclairé, alors qu'il les a perdues chez lui, où il fait noir. [9]

Voir de l'intérieur, c'est accepter d'explorer la part de diurne et de nocturne qu'il y a en chacun de nous. Voir de l'intérieur c'est s'inspirer d'éclairages différents pour donner vie à toutes les gammes d'émotions. Il faut différents âges, différentes nationalités, différentes identités pour y voir clair.

Il faut beaucoup de différences pour contrer l'uniformisation. Il faut surtout beaucoup d'émotions pour contrer la suprématie de la raison et du matérialisme laquelle, poussée à l'extrême, devient absurde. Il faut se méfier des certitudes et des jugements rapides.

Apprendre à voir est une conscience exigeante. Un éveil continuel. Le faire seul est tâche impossible. Pour amorcer le mouvement, il faudrait mettre davantage en scène ceux qui voient de l'intérieur. Le bruit de cette société criarde serait alors moins assourdissant. Malheureusement, dans le passé, on a souvent préféré les tuer. De Socrate à Gandhi en passant par Martin Luther King... on se corrige peu.

La remise en question de ce qui est insensé est souvent plus dérangeante que la bêtise. On préfère réserver les tribunes à l'insignifiance tout en voulant nous convaincre que nous passons à une société du savoir où les contenus feront la différence. Mais qu'entendons-nous au juste par contenus ?

Notre sensibilité se tarit, tout comme notre compréhension des phénomènes complexes. Perdrons-nous notre profondeur à force d'être manipulés par les experts en marketing ? À trop encourager l'apprentissage rapide, transformerons-nous la connaissance en consommation rapide ? Quels savoirs devrons-nous privilégier dans cette mer d'informations ? Il faudra une certaine vision et une certaine conscience pour naviguer intelligemment au troisième millénaire.

« La grandeur de l'homme n'est-elle pas d'imaginer le futur et de faire que son imaginaire devienne réalité ? »[10] se demande Thierry Gaudin. Si tel est le cas, qu'attendons-nous pour agir ? Nourrissons notre imaginaire et inventons une grande chaîne de rêves pour transcender un univers rationaliste et capitaliste, trop dénué de sens pour être supportable encore longtemps.

Utopiste, pensez-vous ? Peut-être, mais je crois davantage aux utopies humaines qu'aux utopies matérielles.

L'évolution ne viendra pas des ordinateurs, ni des canaux de transmission, mais de la vision, des intentions et du cœur de ceux qui les ont rêvés et conçus.

Les femmes et les hommes ont encore toute ma confiance même si parfois, devant tant d'aveuglement et de manipulation, je deviens muette et sans moyens. Je sais seulement qu'ensemble nous pourrions rêver et trouver les gestes pour inventer cet ailleurs.

De passage au Festival des films du monde à Montréal pour la sortie de *La Cena*, Ettore Scola avait alors déclaré : « Le resto est devenu le dernier lieu propice aux échanges. En cette fin de siècle dit des communications, on ne communique plus... On n'a plus le temps ni la place pour converser. Avant, il y avait le grand-père qui racontait à la maison. Les jeunes pouvaient savoir d'où ils venaient. Ils connaissaient leurs racines. Maintenant, il n'y a que la télé qui parle. Le seul endroit où on peut encore discuter c'est le restaurant. Là, au moins, il n'y a pas de télé. »[11]

La part de rêve

J'aimerais faire de ces pages une trattoria de tous les pays, de toutes les époques, de toutes les disciplines pour qu'au cours d'un bon repas, nous échangions avec des esprits éclectiques sur tout et sur rien, sur la vie et sur l'avenir, pour le construire enfin. Et si on passait à table ?

Depuis quelques années déjà, j'invitais les gens à flâner de temps à autre, à retrouver leur liberté, à défendre les valeurs humaines qui leur semblaient importantes, à rêver et à partager leurs rêves et surtout à créer seuls et à plusieurs. Mais cela ne me satisfaisait pas.

J'avais quelques idées sur ce qui pourrait être fait, mais je ne savais pas ce que je pouvais faire de plus, à mon niveau, pour y contribuer. Un livre, peut-être. Quelques séminaires ou conférences. Mais cela me semblait toujours insuffisant.

Les questions tournaient dans ma tête. Et plus elles tournaient, plus j'avais l'impression que de nouvelles questions s'ajoutaient, mais aucune réponse ne perçait le brouillard dans lequel j'avais l'impression d'essayer, inutilement, d'avancer.

Le nombre me semblait la seule réponse qui vaille. Il fallait que chacun s'approprie la démarche d'intelligence collective pour la faire vivre.

Cela ne devait surtout pas reposer sur quelques personnes. Cela devait, pour fonctionner, devenir une grande vague portée par tous ceux qui y croient. Pas des suiveurs de chef, mais des êtres qui s'épanouissent et développent leur leadership et leur créativité à partir de ce qu'ils sont et de ce qu'ils peuvent apporter aux autres et à la société. Une vague d'autonomie, canalisée vers un même but, grâce à l'exutoire qu'est la création. L'émergence de nouvelles communautés à l'échelle mondiale.

Mais surtout pas de structures pour ne pas retomber dans nos vieux travers bureaucratiques et rendre, une fois de plus, tout inefficace. C'était et c'est toujours mon grand rêve. Mais certains jours, je me sentais à mille lieues de le réaliser. Car ce genre d'idées et de valeurs ne peuvent être imposées. Elles doivent être choisies et vécues par chacun. Avec authenticité.

Les gens me répondaient parfois comme si l'approche d'intelligence collective m'appartenait. Je résistais.

Je n'ai rien à vendre. J'ai seulement une conviction à partager, c'est tout. Après, chacun fait ce que bon lui semble. Nous sommes sous influence, mais nous sommes aussi des êtres libres. Le choix appartient à chacun.

Chaque séminaire me permettait d'essayer quelque chose de nouveau, de faire avancer l'approche, d'expérimenter davantage. Lorsque je rencontrais trop de cynisme, c'était difficile, mais ça confirmait mon hypothèse de départ. Lorsque je rencontrais de l'intelligence et du cœur, c'était magique. Il y avait la démarche, mais il y avait surtout la qualité des participants. Dès qu'une ou deux personnes gardaient leur masque et jouaient leurs petits jeux de pouvoir, cela nuisait à tout le groupe. C'était si frappant, si éloquent. Comment ne pas s'étonner alors des problèmes en société ?

Certains ont du mal à partager. Ils veulent briller à tout prix. Tout le temps. Un groupe peut devenir l'otage d'une seule personne ambitieuse et manipulatrice à qui on laisse trop de place. **Nous sommes sous influence.**

D'où l'importance de refuser l'inacceptable, car cela force chacun à mieux se comporter. Avec plus de dignité. Mes séminaires, à l'image d'ateliers d'art thérapie, prouvent à quel point l'être humain peut donner le meilleur de lui-même lorsqu'on lui permet de créer dans un contexte de confiance et de bienveillance. La bonté et la méchanceté sont les deux côtés d'une même médaille. Un rien peut faire basculer de l'un à l'autre.

C'était un samedi après-midi de fin septembre. J'étais rentrée à Montréal pour quelques jours. Il y avait une légère brise automnale et un soleil resplendissant. Je me mêlais aux promeneurs de la rue Sherbrooke.

Nous étions en plein *Festival international des films sur l'art.* Un heureux hasard dont j'avais l'intention de profiter. J'avais identifié les films traitant des sujets qui m'intéressaient. Cet après-midi-là au Musée des Beaux-Arts de Montréal, j'ai reçu comme un cadeau le film de Jean-Pierre Krief, *La rage et le rêve des condamnés.*

« Dans les années soixante, Jimmy Boyle est le criminel le plus recherché de toute l'Écosse. Arrêté et condamné à perpétuité en 1967, il devient alors le détenu le plus dangereux des prisons écossaises.

Refusant la brutalité et l'archaïsme du système pénitentiaire, il les combat pied à pied et soulève dans les prisons où il passe de violentes révoltes de détenus. Pendant six ans, il sera enfermé dans une cage, nu, sans aucun lien avec l'extérieur.

Un jour pourtant, on l'invite à faire partie d'une prison expérimentale, Barlinnie, dont les principes de vie se démarquent de l'univers carcéral traditionnel. Il y découvrira la sculpture et s'en trouvera totalement transformé.

Après vingt-six ans derrière les barreaux, il est mis en liberté conditionnelle. Le film suit cet itinéraire hors normes et tisse des liens avec des situations actuelles prises sur le vif dans les prisons françaises. »[12]

Ce film montre comment la création peut briser l'enfermement et témoigne de l'importance du silence, de la liberté, de la confiance et de l'expérimentation. Il confirmait mon approche et mes expérimentations lors des séminaires et m'encourageait à poursuivre dans cette direction. C'était un signe. La réponse que j'attendais et dont j'avais besoin pour continuer.

L'être humain qui semble le plus mal parti peut avoir une chance de s'en sortir si on lui en donne l'occasion. Voilà le message que je retenais et qui me disait que, malgré tous les obstacles ou le cynisme que je rencontrais parfois, je ne devais pas abdiquer. Il fallait continuer la démarche d'intelligence collective. Favoriser le partage des rêves. Encourager la liberté dans le respect des autres et la croyance en des valeurs humaines qui unissent. Il fallait surtout donner à chacun la chance de créer et de contribuer... pour apporter un peu plus de dignité, d'humanité et de plaisir.

Montréal, septembre 2002

LA ROUTE DES DÉSIRS

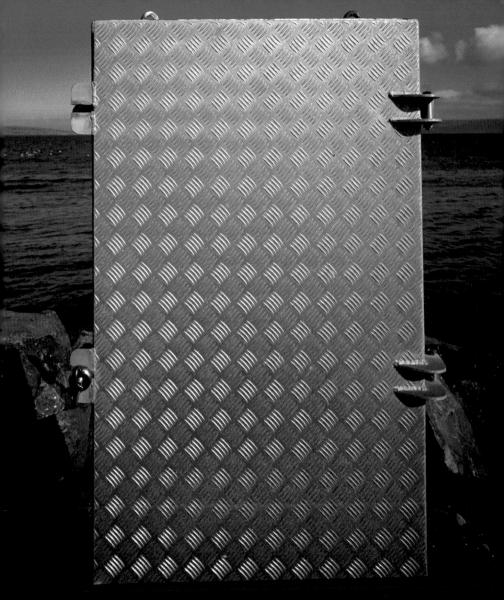

« Il faut rechercher le désir de la ligne, le point
où elle veut entrer ou mourir... »

Matisse

3

Les mois d'octobre et de novembre avaient filé à vive allure. Pour preuve : chaque page de l'agenda était noircie jusqu'aux quatre coins alors que celles du journal étaient restées blanches, ou presque.

Dans ma vie tourbillon, il m'arrivait de m'asseoir sur un banc au parc Monceau à deux pas de chez moi, le dimanche, et de constater à quel point le rythme de ma vie avait changé comparativement à la première année où j'avais vécu à Paris.

Mon amie Marielle, son mari Jean, l'artiste-peintre, et leurs deux garçons vivaient juste à côté. Ils avaient été parmi nos premiers amis dans cette ville. Mon amitié avec Marielle avait probablement été décisive dans mon choix d'y vivre un certain temps. Et le hasard avait fait que nous avions trouvé un appartement près de chez eux. Je dis le hasard, car à Paris le choix n'existe pas vraiment. Il y a pénurie en permanence. Aussitôt qu'un appartement se libère il se loue dans les vingt-quatre heures.

Assise sur ce banc, je me rappelais l'année complète où j'avais vécu là, ne revenant que très rarement à Montréal. Une année où il avait beaucoup plu. Le ciel gris, propice à la rêverie, m'avait entraînée dans des flâneries inattendues. J'y étais souvent seule avec mon imaginaire. Distraite, côtoyant l'irréel comme le réel, et faisant parfois peu la différence entre les deux, comme si le merveilleux prenait possession de ma raison.

J'avais l'impression de découvrir un Paris ombreux, plus subtil dans ses lumières qu'il n'y paraît au premier regard. Plus poétique et plus sobre. L'impression d'être dans un conte étrange et révélateur. Si seulement j'avais su plus tôt que la clé pour y avoir accès était de petits instants de vie sans but.

Jusque-là j'avais associé Paris à la fête. Surexcitations nocturnes. Bruits matinaux ne cessant tout au long du jour. Murmure contemporain des foules denses et de l'impatience qu'elles causent.

Puis, un jour, de lentes promenades avaient calmé mon regard infiltrant de l'ombre dans la lumière. L'impression de voir autrement, peut-être plus avec mon cœur qu'avec mes yeux.

Il fallait probablement ce pointillé d'arrêts dans ma vie agitée pour me faire lâcher prise et me redonner la vue. Il fallait une certaine nonchalance pour apprécier, à leur juste valeur, les clairs-obscurs parisiens.

Souvenirs d'atmosphère. Comme cette soirée d'été dans la cour du Louvre à la brunante. J'entends encore nos pas, les miens et ceux de ma copine, résonner sur les dalles inégales. Je revois nos silhouettes se glisser dans la pénombre bleutée, projetant nos ombres sur les façades complices de nos confidences. Nous partagions alors nos désirs et nos rêves comme si de les nommer pouvait leur donner vie, les faire se concrétiser.

Dans la haute Antiquité, « ...l'homme avait le privilège de commencer à nommer les choses, la brise, le nuage, l'herbe, l'eau... »[1] Dans nos sociétés post-modernes, nous pensons que tout a été nommé, mais il nous reste nos désirs.

Il est vrai que la route des désirs ne se dévoile pas si facilement. Il faut souvent errer pour la découvrir. Elle apparaît parfois quand nous ne l'attendons plus, parce que nous sommes désespérés de l'avoir trop cherchée ou, simplement, parce que nous n'avions pas eu le temps de créer un espace vide pour la laisser passer. Cette route des désirs sillonne autant le visible que l'invisible. Elle est insaisissable quand on veut la saisir et, parfois, si présente quand on ne l'attend pas.

« Désir et non-désir : ces deux états procèdent d'une même origine. Seuls leurs noms diffèrent. Il sont l'Obscurité et le Mystère »,[2] selon le vieil enseignement du Tao.

La route des désirs est donc ce mystère que l'on essaie de percer à certains moments de notre vie. Probablement aux moments où nous sommes plus présents à nous-mêmes. Plus attentifs. Ces moments sont souvent noirs et tristes.

« Mais en vérité c'est au plus profond de cette obscurité que se trouve la porte. La porte de l'absolu, du merveilleux. »[3] conclut le Tao.

Parfois nos désirs deviennent une lumière dans la nuit, une espérance dans le désert. Ils sont si clairs qu'ils en sont

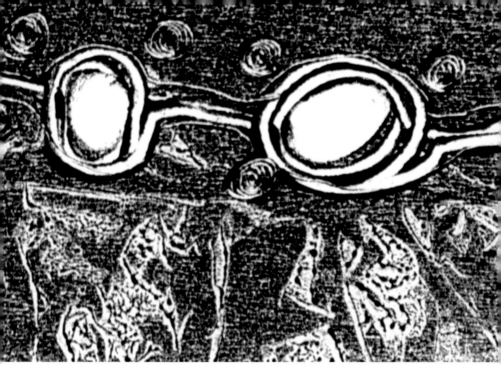

presque palpables. Il nous habitent entièrement. Et puis, satisfaits, oubliés ou abandonnés, ils disparaissent en douce, presque à notre insu.

Comme tout le reste, les désirs évoluent ou s'estompent. Il faut donc reprendre la route de temps en temps pour les raviver. Cela avait été le but de mes promenades sans but. Raviver mes désirs. C'était il y a trois ans.

Depuis ces errances, j'associe Paris à un étrange labyrinthe qui favorise une quête d'intériorité, une belle solitude parmi la foule. Depuis, j'associe les squares ombragés à autant de cachettes pour une tête chercheuse, un peu confuse, comme la mienne l'était alors.

Chaque expérience, chaque rencontre, nous transforme un peu et nous aide à devenir qui l'on est. Sachant cela, nous sommes parfois tentés de les provoquer plutôt que de les attendre. C'est du moins souvent ce qui m'arrive, impatiente que je suis. « Quand on attend violemment quelque chose, toujours, toujours, il faut être très équilibré pour ne pas devenir fou, et, à la fin, prendre en soi-même la force de ne plus attendre. »[4] écrit Giono. Voilà donc où j'en étais.

Paris, par exemple. J'y étais allée quelquefois auparavant mais en juin 1999 une chose étonnante s'était produite.

Dès que j'étais libérée de mes occupations professionnelles une petite voix me disait : « Et si tu vivais là. » Cette idée me sembla ridicule au début. Surchargée d'obligations en Amérique du Nord, je ne voyais pas comment cette petite phrase insidieuse pouvait se rendre jusqu'à mes oreilles, tellement elle était insensée. Mais dès l'instant où je posais mon regard quelque part, dès que mon attention se relâchait, la petite voix me taraudait à nouveau.

Je pris alors conscience que je ne m'étais jamais permis une telle folie. La seule pensée de m'arrêter dans une ville plutôt que de la traverser à toute vitesse me semblait un luxe incroyable ! Bien sûr, j'y avais pensé. Souvent même. Mais les responsabilités l'avaient toujours emporté sur l'aventure.

Et puis, le destin ne s'était jamais manifesté en ce sens, d'une obligation à l'autre, le temps manquait tout le temps. Au point où la grande rêveuse que j'avais été avait, peu à peu, perdu la faculté de rêver.

Mais voilà que ce désir refaisait surface d'une manière si inattendue, redéployant tout son pouvoir évocateur. Un désir, jumelé à une impatience toute juvénile malgré mes quarante-deux ans bien sonnés, d'aller au bout d'une certaine folie.

C'est ainsi qu'en moins d'une semaine, je décidai de transformer ce coup de cœur en coup de tête. J'avais envie de Paris, de ses rues, de ses musées, de sa culture ; j'avais surtout envie de défier ma raison et d'écouter cette petite voix pour vérifier jusqu'où elle me mènerait.

Je ne voulais surtout pas analyser ma décision, de peur que ma raison ne me ramène sur les chemins des risques calculés, alors que j'avais envie de tout, sauf de calculs.

Mais Paris, ville fascinante, n'était pas la cause de mon premier désir. Ce qui avait vraiment fait naître ce désir, c'était l'intuition de rencontres fortuites qui m'aideraient à mieux comprendre le monde et ses possibilités humanistes.

À l'instar du poète Christian Bobin : « De chacun de ceux que je rencontre j'attends quelque chose, et je le reçois, puisque je l'attends. »[5]

Voilà l'état d'esprit dans lequel j'étais lorsque j'avais choisi Paris. Dès que ma raison essayait de m'ébranler, je me rappelais alors ce passage de Gérard Macé dans ses souvenirs de lecture, dans *Colportage 1* :

«" Ce qu'on ne peut atteindre en volant, il faut l'atteindre en boîtant " : cet avertissement de Rückert, ou ce conseil oublié trop longtemps, me rappelle que la chute est toujours proche de l'envol, au point d'en être la forme humaine et gauche, mais il me rappelle aussi qu'un brusque hasard, grâce à la vigilance endormie nous fait sortir de l'ornière où l'on s'enfonçait malgré soi : la moindre entorse à nos habitudes réveille alors d'anciens désirs, et sur le pavé mal équarri l'attention un instant relâchée nous permet parfois de retrouver la mémoire. »[6]

Retrouver la mémoire. Voilà ce dont j'avais vraiment envie. Comme si pour réussir l'envol je devais risquer la chute. Cela, je l'avais toujours su, mais cette fois l'inconnu était plus grand. Pour la première fois, j'étais incertaine de ce que je cherchais. Je n'avais pas de but précis, je n'avais qu'un désir : enchanter ma vie.

L'inconnu est attirant parce qu'il porte en lui la promesse d'un nouvel apprentissage. J'aime les préliminaires, ce temps où l'inconnu n'est pas encore connu, ces interstices du merveilleux.

Cela me rappelle l'excitation que je ressentais à chaque rentrée scolaire. Non pas grâce à l'école. Non. Ce qui m'attirait c'étaient les plumes, les crayons et les cahiers neufs dans lesquels je m'appliquais tant au début. C'était l'atmosphère des nouveaux livres, l'odeur du papier et de l'encre. Je trouvais enivrante l'idée de découvrir de nouveaux mondes à travers eux. J'aimais les soirées passées seule, assise à ma table de travail, dans ma chambre.

J'avais hâte à l'automne. Sa fraîcheur et ses vents me redonnaient goût aux études et mettaient mes sens et mon imaginaire en éveil. Encore aujourd'hui, l'automne demeure pour moi une saison joyeuse et j'ai parfois la nostalgie de ces rentrées scolaires d'autrefois. En fait, partir vivre à Paris me faisait l'effet d'une rentrée.

La première leçon que mes amis français m'ont apprise fut l'art de vivre. Pour être exacte, je devrais dire mes amis européens car, parmi mes amis français, il y a autant d'Italiens, de Belges, de Suisses, d'Anglais, d'Allemands... qui rendent ce cercle si enrichissant.

Chaque dîner devenait un prétexte pour refaire le monde. Mes prédispositions s'y sont trouvées bien nourries. J'eus alors l'impression de rajeunir de vingt ans, revivant ces nuits passionnées entre amis où l'on s'amusait à tout remettre en question pour esquisser un monde différent, bercés par l'époque et les paroles de John Lennon : « You may say I'm a dreamer, but I'm not the only one ».

Voilà l'atmosphère que me faisaient revivre mes amis français. Je vous raconte tout ceci parce que j'avais commencé cet ouvrage sur un tout autre ton, souhaitant esquisser les qualités des nouveaux leaders du troisième millénaire et tenter une certaine prospective des tendances en management en avançant quelques idées pour que l'avenir soit plus prometteur.

Puis j'ai ressenti que nous avions tellement segmenté la vie, que nous nous adressions désormais aux entreprises et à leurs artisans comme à des habitants vivant sur une autre planète. Point de salut si on ne met pas l'accent sur des recettes pour performer le plus rapidement possible afin d'augmenter les profits versés chaque trimestre aux actionnaires. Point d'écoute sans ce jargon spécialisé, technique ou financier pour plaire aux analystes du marché.

Au demeurant, ce n'est même plus la peine d'y mettre la forme pour annoncer de mauvaises nouvelles. Faites l'expérience. Annoncez la coupure de quatre cents postes et vous verrez la valeur de l'action monter en flèche. Je ne suis pas contre les coupures de postes, je crois au contraire qu'une entreprise doit rester performante et se renouveler constamment. C'est la principale caractéristique d'un organisme vivant ; mais un tel organisme devrait vivre autant, me semble-t-il, pour le développement de son potentiel, de ses collaborateurs et de ses clients, que pour enrichir, à court terme, ses actionnaires. Je perçois un déséquilibre dans la tendance actuelle. Bon nombre de décisions sont prises en fonction de la perception qu'en auront les actionnaires. Si tel est le cas, je ne vois plus trop la pertinence des managers. On pourrait laisser les actionnaires diriger les entreprises. On économiserait... des salaires !

Fallait-il attendre les actionnaires pour supprimer des milliers de postes le même jour ? Lorsqu'une entreprise se renouvelle régulièrement, elle n'a pas besoin de supprimer mille postes à la fois parce qu'elle a eu le courage, chaque année, de se remettre en question pour poursuivre son développement.

Par ailleurs, une personne qui s'épanouit dans son travail et continue son développement personnel n'a pas de problème à se trouver un emploi (si elle le perd), c'est une chance de vivre plusieurs expériences différentes. Là où le bât blesse, c'est lorsque des centaines de personnes sont congédiées le même jour dans la même ville.

Une entreprise « responsable » est celle qui encourage le développement de son personnel. Ce qui ne veut pas dire être paternaliste. Ce style de gestion est une insulte à l'être humain. Il infantilise. Selon moi, un salarié ne devrait jamais se laisser déresponsabiliser par qui que ce soit. Notre destin nous appartient.

Je préfère les entreprises et les syndicats qui se soucient de l'évolution de leur personnel, comme de celle de leur communauté et de la société, tout en gardant une certaine distance. C'est une question d'élégance et de respect. Il y a un très beau mot en anglais pour signifier cela, c'est « care ».

Ce qui veut dire se soucier des effets de nos actes, prendre des décisions en réfléchissant un tout petit peu à leur portée humaine, communautaire et sociale. Cette fameuse éthique dont on parle tant, mais qu'on applique si peu.

De plus en plus de gens commencent à choisir des produits équitables. Je constate que certains d'entre nous avons décidé de passer à l'acte. Nous commençons enfin à comprendre notre pouvoir. Il me semble que les salariés doivent, à leur tour, se soucier de leur entreprise. Une personne ne doit pas tout attendre de son employeur. Elle doit penser à ce qu'elle peut apporter en échange. C'est une question de réciprocité et de coévolution. Nous sommes tous responsables d'un certain contexte de vie. Les entreprises sont ce que nous en faisons. Ceux qui se croient victimes d'un système participent activement à renforcer les aspects oppressifs de ce système.

Le danger qui nous guette c'est de devenir de petits soldats de plomb, dociles et exécutants, laissant passer notre vie sans la vivre, ne laissant plus nos désirs, nos idées et notre solidarité émerger au travail. Plusieurs ont une vie et un travail. Comme si les deux étaient dissociés. Deux cases cloisonnées. Comme si notre cerveau gauche et notre cerveau droit ne communiquaient plus ensemble. Comme si l'émotion devait être contrôlée par un mécanisme qu'on active seulement au moment voulu.

L'être humain est si complexe qu'on a essayé de le segmenter, soi-disant pour le faire progresser plus rapidement. Nous ne sommes pas moins une personne entière parce que nous travaillons pour une entreprise ou une institution. Il me semble qu'après avoir tout divisé, nous serions prêts pour une grande intégration. La modernité avec ses cloisons, ses séparations, ses disciplines, son jargon d'experts, aurait fait peu de cas des talents d'un homme comme Léonard de Vinci, généraliste de génie.

J'imagine parfois les trésors humains enfouis dans les entreprises, ensevelis sous des descriptions de tâches toutes plus bureaucratiques les unes que les autres.

Petites morts quotidiennes qui nous indiffèrent parce qu'on les croit banales et inoffensives. Dans cette guerre de l'économie qui nous assaille, ma préoccupation rejoint celle d'Antoine de Saint-Exupéry « Ce qui me tourmente, les soupes populaires ne le guérissent point. Ce qui me tourmente, ce ne sont ni ces creux, ni ces bosses, ni cette laideur. C'est un peu, dans chacun de ces hommes, Mozart assassiné. »[7]

Plus le temps passe, plus je trouve certains messages d'entreprise ennuyeux. J'y cherche la profondeur et la connaissance, mais j'y rencontre souvent le contraire. J'y cherche un encouragement à l'accomplissement et à l'évolution, mais je n'y trouve souvent qu'une ambition comptable. Et je m'inquiète qu'on reste muet et passif devant cette aseptisation du discours et cette financiarisation du monde. J'ai donc ressenti le besoin de sortir du cadre, car mes soirées à Paris je les ai souvent passées avec des gens qui vivaient hors des murs de l'entreprise. C'est ce qui m'a donné l'envie de l'école buissonnière. Et c'est dans cet esprit de liberté que j'ai le mieux appris.

« Le diable c'est l'ennui, » écrit le metteur en scène Peter Brook en parlant de théâtre. Que dirait-il s'il parlait des écoles, des entreprises, des institutions ? Les trouverait-il ennuyeuses ? Il me semble que sa pensée devrait nous inspirer des réformes dans les théâtres de nos différents apprentissages que sont les écoles et les entreprises. La qualité de l'espace influe sur la qualité des relations. Si, au théâtre, être dans un espace de proximité et apprendre à se voir les uns les autres contribuent à la transformation de chaque personne qui y participe, n'est-ce pas un peu la même chose dans les organisations et en société ?

Or, nos espaces sont si encombrés de préjugés et de pratiques définies à l'avance, qu'on ne se voit plus les uns les autres. Nos miroirs sont embués. « ...pour que quelque chose de qualité puisse advenir », explique Peter Brook, « il faut d'abord qu'un espace vide se crée. Un espace vide permet à un nouveau phénomène de prendre vie. Si vous regardez bien tous les domaines du spectacle, tout ce qui touche au contenu, au sens, à l'expression même, à la parole, à la musique, aux gestes, à la relation, à l'impact, au souvenir qu'on puisse garder en soi-même... tout cela n'existe que si cette possibilité d'expérience fraîche et neuve existe également. Or aucune expérience fraîche et neuve n'est possible s'il n'existe pas préalablement un espace nu, vierge, pur, pour la recevoir. »[8]

Voilà pourquoi certaines entreprises trop rigides empêchent, à leur insu, la créativité de ceux qui s'y trouvent de se manifester. Ils emplissent tout l'espace et tous les instants de telle sorte que gérer la surabondance de l'information, des méthodes, des techniques, des chiffres occupe tout le temps qui aurait pu être disponible pour penser, créer et réaliser collectivement. Au lieu de cela, ils forment leurs équipes à devenir des gestionnaires de l'inutile et des exécutants aguerris mais sans initiative.

Au même titre qu'il faut se débarrasser de ses vieux vêtements pour faire place aux nouveaux, sans le vide, on empêche l'éclosion de choses nouvelles.

Enfermés dans nos certitudes et nos bureaucraties, il est difficile
de favoriser l'évolution et la créativité.

Taylor — le scientifique à l'origine d'une méthode d'organisation du travail industriel par l'utilisation maximale de l'outillage et la suppression des gestes inutiles — n'aurait jamais pu imaginer, même dans ses rêves les plus fous, qu'on appliquerait sa théorie à la gestion du savoir. Voilà que les élèves dépassent le maître. À écouter certains consultants vous décrire le *Knowledge Management* on dirait presque la description d'un mécanisme sans faille et prévisible. Cela me stupéfie que l'on puisse croire qu'un tel mécanisme éveillera l'intelligence et favorisera la gestion du savoir. J'ai l'impression qu'on met n'importe quel mot sur n'importe quoi, comme si l'exactitude du sens n'avait plus d'importance. Comme si l'objectif était de trouver des mots accrocheurs pour vendre des méthodes simulant une meilleure performance et rendant les petits soldats plus profitables.

Nous n'avons plus le temps de remettre nos façons de faire en question. Nous recherchons la recette la plus rapide, celle qui demande le moins de réflexion et qui paraît la meilleure pour les actionnaires. L'important c'est de savoir la vendre pour la rentabiliser au plus vite.

Mais tout cela n'est que poudre aux yeux car le genre de personne que nous sommes influe sur les organisations que nous construisons. Il y a un lien étroit entre les deux. On ne peut pas, très longtemps, être abruti au travail et intelligent dans la société et à la maison. Le prix social de nos attitudes risque d'être très élevé. **Nous sommes sous influence.** Il ne faut surtout pas s'avouer vaincu d'avance, car éveiller ses désirs donne un sens à la vie et favorise le développement des forces et des talents pour les réaliser. La passion qui en découle donne de l'impulsion à l'effort. On ne peut rien accomplir d'exceptionnel collectivement si on ne se donne pas, déjà à soi-même, la permission d'être pleinement dans la vie, d'être présent au monde.

Le vingtième siècle a été l'ère des spécialistes. Pour être à la tête d'une entreprise, on a souvent exigé des dirigeants qu'ils connaissent bien l'ingénierie des procédés ou des finances. Le développement des êtres humains, malgré les beaux discours, est souvent une activité secondaire dans l'organigramme. On veut des spécialistes et des techniciens, alors qu'on aurait besoin de généralistes aux multiples talents, aux multiples curiosités. On aurait surtout besoin de beaucoup d'ouverture. Mais, au cours des deux derniers siècles, on a surtout appris à modéliser et à appliquer des procédés et des méthodes prétendument éprouvés. D'ailleurs la tâche, par exemple, d'un spécialiste en ressources humaines (déjà cette appellation place les hommes et les femmes au même niveau que les ressources financières, techniques et matérielles) ne ressemble-t-elle pas davantage à l'application de techniques comptables plutôt qu'au développement des personnes et des équipes ? Alors que tout dirigeant d'entreprise devrait être un accompagnateur qui écoute, stimule et encourage, il a rarement le temps pour cela. Il est trop occupé par la centaine de courriels quotidiens à dépouiller, les appels à retourner, les conventions collectives à gérer et les réunions à organiser.

Il est révélateur de prendre un certain recul sur soi-même. Si, pris dans cet engrenage économique, nous pouvions reculer seulement de quelques pas, jeter un coup d'œil en arrière, que verrions-nous ? L'économie absolue ne devient-elle pas Force et Loi en tout ? Y compris dans les parties les plus intimes de nos vies ? On dirait le vieux rêve du *Livre du prince Shang* qui se réalise en partie. Ses auteurs vécurent avant que la Chine ne soit un empire entre le IVe et le IIIe siècle av. J.-C. « Aucun autre texte de théorie politique que l'on a pu écrire, de Machiavel à Lénine, n'exprime aussi atrocement le rêve d'une politique absolue, qui anéantit toute autre pensée, tout autre sentiment ou désir humain, bâtissant le terrifiant édifice de la Loi et de la Force, » explique Pietro Citati. « Ses auteurs possédaient toutes les qualités pour réaliser ce rêve : un esprit redoutablement logique, un mépris abstrait pour les êtres humains, une cruauté inexorable, la haine de tout compromis, une volonté qui ne recule devant aucun obstacle, une solitude désespérée, l'incapacité de penser et d'aimer le monde comme un jeu mouvant de contradictions. »[9]

Nous n'en sommes peut-être pas encore là, mais en sommes-nous si éloignés ?

Nous nous sommes tous portés volontaires, inconsciemment, pour la même guerre, celle des nombres. Combien de temps resterons-nous euphoriques devant ce « Think Big », où rien n'est jamais assez gros pour nous satisfaire ?

Les mégaentreprises sont de plus en plus nombreuses. Aucun domaine n'échappe à cette mégalomanie collective. Nous avons la manie de l'excès. « La singularité ne s'exerce plus par son sens mais par son format. Si vous réussissez à accrocher mille, voire un million d'yeux au lieu d'un seul ou de quelques-uns, vous voilà passé à la postérité. » écrit le journaliste Jean-Pierre Denis. Tout est question de nombre. Et d'uniformité.

Il y a vingt ans, lorsque je roulais d'une ville américaine à l'autre, je me désolais de retrouver partout les mêmes chaînes, les mêmes couleurs, les mêmes devantures.

J'avais l'impression de rouler sur place, je ne faisais plus la différence entre les villes. Aujourd'hui, la même chose commence à se produire dans mon pays. Même chose pour les grandes surfaces qui tuent souvent les petits commerçants autour. On préfère de plus en plus le méga.

Cette tendance transforme la toile mondiale. Si on avance un pion, c'est désormais tout le jeu qui bouge. Parce que le jeu est mondial, il touche plus de joueurs. Une chaîne qui est vendue ou fermée a un impact négatif sur des milliers de personnes dans plusieurs pays en même temps. Cela rend très complexe l'analyse des conséquences de nos actes. Les contradictions augmentent la complexité du jeu et de ses systèmes. Et on joue de plus en plus vite, ayant de moins en moins de temps pour réfléchir.

De quoi l'être humain a-t-il besoin, depuis toujours, pour s'accomplir si ce n'est d'aimer, d'apprendre, de créer, d'entreprendre, de comprendre ? Avons-nous vraiment changé ? Je ne le crois pas.

C'est le temps qui semble être la part manquante. Nos désirs sont en déroute mais ce n'est pas faute de chercher à les assouvir rapidement. Notre vie s'étend sur une plus longue période mais notre espace-temps encombré d'occupations et d'agitations se rétrécit comme une peau de chagrin.

On vit dans l'urgence. « Il ne s'agit plus de maîtriser les horloges du temps » nous rappelle Zaki Laïdi dans *La tyrannie de l'urgence*, « mais d'éviter de se trouver "hors du temps", comme on dirait d'un coureur dépassé par le rythme de la course. »[11]

Nous aurions besoin de l'œil et de la caméra de Vim Wenders pour nous suivre, pas à pas, et garder des traces de nos dérives sentimentales et autres. Nos vies se transforment en *road movies*.

Cela me donne envie de suspendre le temps. J'imagine une télécommande qui me permettrait de mettre le monde à « pause » quelques heures, le temps que je vaque à mes occupations. Ainsi, dès que je remettrais le monde en marche, je pourrais profiter pleinement de lui, grâce au temps libre que je me serais ainsi accordé.

Nous sommes tous les mêmes. Nous voudrions arrêter le temps quand cela nous arrange. C'est d'ailleurs, dit-on, la denrée qui aura le plus de valeur au troisième millénaire. Le temps. Le vrai défi de notre vie superactive est de protéger, envers et contre tous, du temps libre pour nos désirs.

Dans le magnifique roman de François Cheng, *Le dit de Tianyi*, il y a ce beau passage sur le désir : « Lisant Rimbaud, je me souviendrai aussi de la pensée qui m'avait visité dans les vallées de Sichuan : si l'homme est un animal toujours assoiffé, la nature, pourvoyeuse d'eau, a de quoi combler son désir. Il faut croire que la création n'engendre point de désirs qu'elle ne puisse satisfaire. En somme, l'homme a soif parce que l'eau existe. L'homme, certes, est libre de désirer, mais il ne peut désirer que ce que le réel insondable recèle déjà. Même lorsqu'il va jusqu'à désirer l'infini, c'est que l'infini est là, prévu pour lui. Tout se passe comme si ce que l'homme désire le plus était là, par avance contenu dans le désir ; sinon aurait-il pu le désirer ? »[12]

Je crois aussi que l'accomplissement du désir se trouve dans le désir lui-même, et que toute subordination qui nous éloigne de nous-même met notre vie en danger. Depuis quelques années j'avais beaucoup réfléchi à mes désirs et à la gravité d'encourager les autres à désirer.

Pour mes désirs, il y a trois ans, j'avais mis ma vie sens dessus dessous. Et j'y ai pris goût : la preuve, je m'apprête à recommencer dans quelques mois.

J'avais alors créé un vrai désordre, laissant parfois les gens qui m'entouraient perplexes. Je voulais descendre jusqu'au fond de moi-même. Je cherchais, à tâtons, un sens et je pense comme le personnage de François Cheng que : « ...si mon destin sur terre était d'errer, qu'au moins je le transforme en quête passionnée dont le but me serait forcément révélé un jour. »[13] Je suis faite de cette eau. J'ai besoin de quête et de passion. J'assume ma nature avec tout ce qui en découle de bon et de moins bon.

Quant à ma réflexion sur la gravité d'encourager les autres à désirer, je la dois à mes lecteurs. Certains témoignages m'ont bouleversée. J'ai reçu des lettres m'annonçant, avec passion et enthousiasme, qu'ils avaient quitté leur emploi ou changé de vie brutalement après avoir lu *La Cité des intelligences*. J'ai alors eu peur que mes propos sur le rêve et le désir, sur la nécessité de surmonter ses peurs et d'embrasser la vie passionnément, aient eu plus d'impact que je ne le voulais.

À l'époque, j'avais voulu partager mes convictions. J'en avais un peu marre de l'ambiance pessimiste qui régnait et de l'esprit de victimisation que je rencontrais trop souvent. J'avais envie de dire, tout comme aujourd'hui d'ailleurs : il n'est pas trop tard, on peut encore faire une différence. Réveillons-nous !

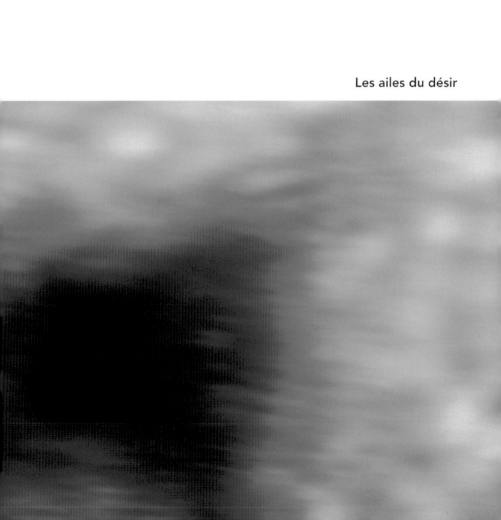

Les ailes du désir

Cela dit, qui suis-je, moi, pour dire aux autres quoi faire ? Je ne sais pas plus que vous ce qu'il faut faire pour être heureux. Je n'ai pas la recette du bonheur, ni celle qui permettra d'améliorer le monde. C'est pourquoi ce récit ressemble davantage à un journal et à des confidences qu'à un essai. J'ai voulu partager mes failles et mes incertitudes pour que vous puissiez mieux doser mes opinions et mes convictions.

J'espère seulement que ceux qui ont pris de grandes décisions après avoir lu *La Cité* ne regretteront pas leur choix. La route sinueuse est souvent la plus difficile, mais je crois qu'elle est celle qui nous comble davantage. Et puis, un ouvrage peut-il déclencher autre chose que ce que l'on porte déjà en soi ? Je ne le crois pas. J'y vois plutôt la révélation d'un désir qui attendait son moment pour émerger.

« Cette liberté conditionnée du désir humain », affirme François Cheng, « loin d'abaisser ou de rétrécir l'existence humaine, la rehausse, l'élargit. Elle la met au cœur d'un vaste mystère. Et rend l'aventure de l'homme moins chimérique. »[14]

Ouvrir toute grande la porte des désirs pour donner de l'ampleur à sa vie. Oser s'envoler sans trop savoir où on atterrira. Belle prise de risques pour couper la monotonie d'une vie rangée dans les corridors de nos certitudes.

Mais d'où naîtront nos désirs ? Où donc trouver nos révélateurs ?

Déjà, à son époque, Gœthe écrivait « L'homme est si porté à s'adonner aux choses les plus vulgaires, l'esprit et les sens s'émoussent si facilement à l'égard des impressions de beauté et de perfection, que l'on doit par tous les moyens entretenir en soi la faculté de les ressentir. Car personne ne saurait entièrement s'abstenir de telles jouissances, et ce n'est pas faute d'un commerce habituel avec de bonnes choses que bien des gens trouvent plaisir à des niaiseries et à des fadaises, pourvu qu'elles soient nouvelles. On devrait entendre chaque jour un petit *lied*, lire un beau poème, voir un tableau de valeur et, si c'est possible, dire quelques paroles raisonnables. »[15]

Ce que nous sommes contribue à façonner la société. Nous fabriquons d'autres êtres humains à notre image et nous les nourrissons de ce dont nous nous nourrissons nous-mêmes. Une sensibilité se développe, tantôt doucement au fil du temps, tantôt par à-coups fulgurants. C'est pourquoi nous devrions être quémandeurs d'artistes et de poètes afin qu'ils vivent à proximité pour nous donner à voir la Beauté, qui trop souvent nous échappe, et partager l'utopie qu'ils en ont.

J'avais de plus en plus envie de liberté dans mes séminaires et je poussais toujours un peu plus loin l'expérimentation. La confiance de mes clients me permettait de mettre de l'avant une approche artistique de plus en plus prononcée et cela produisait des merveilles.

Les retours positifs ne tardèrent pas. Les clients semblaient absolument ravis. Leurs nombreux témoignages me touchèrent. Celui de Brigitte, par exemple : « Belle démonstration par l'expérimentation du pouvoir de la création collective... et de construire par stratifications successives, comme les couches géologiques forment les montagnes ». Ou encore ce message de Marielle : « Ce séminaire a été une grande expérience pour moi ; je n'avais jamais assisté à un retournement d'une telle ampleur. »

Voilà qui finissait bien car j'avais décidé, après plusieurs années de collaboration, que je devais les laisser maintenant voler de leurs propres ailes. C'était à eux de prendre leur destin en main.

Si la chaîne apprenante fonctionne, le départ d'un consultant passe inaperçu. Il faut promouvoir l'autonomie sinon la démarche d'intelligence collective est un échec. Un consultant ne peut en aucun cas se substituer aux dirigeants en place. Savoir se retirer est aussi important que de réussir son entrée.

Nous avions fait la preuve que nous pouvions réfléchir et discuter de questions très sérieuses en s'amusant. Le commentaire qui est revenu le plus souvent était « Merci pour ces moments intenses où je me suis vraiment amusé et qui m'ont donné un second souffle ».

Éveiller le désir... c'est désormais tout ce que je souhaite. J'ai déjà souhaité changer le monde. Mais en vieillissant j'ai finalement compris que j'en étais incapable. J'essaie donc de suivre le conseil de François d'Assise. Dès que je n'avance plus, que mes désirs s'estompent, que ma source se tarit, je change de monde.

Toujours assise sur mon banc au parc Manceau, je réalisai à quel point les propos sur le désir de François Cheng étaient exacts. Lorsque j'avais choisi Paris, trois ans auparavant, je connaissais peu de gens et n'y avais aucun contrat.

Après avoir loué l'appartement sur un coup de tête et vu arriver les premières factures mensuelles, j'avais eu un frisson d'effroi. Je m'étais alors demandé si j'étais complètement folle. C'était un saut dans le vide, dans l'inconnu. Je n'avais pas les moyens financier d'un échec. Cette tentative parisienne était un développement risqué pour notre entreprise. Très risqué même.

J'avais écouté une petite voix si subtile que je me demandais si finalement je l'avais bien entendue. Je craignais presque de l'avoir inventée. Quelques mois plus tard, pourtant, un éditeur français avait accepté mon livre et j'avais des contrats qui me permettaient de vivre et de travailler dans cette ville enchanteresse qu'est Paris.

C'était un autre rêve réalisé. Une preuve de plus qu'on peut ajouter de l'ampleur à sa vie en désirant. Un signe qui m'encourageait à continuer à prendre les risques de mes intuitions. Une preuve de plus que *tout se passe comme si ce que l'homme désire le plus était là, par avance contenu dans le désir.*

Je refermai le col de mon manteau. Les feuilles des vieux arbres s'agitaient doucement sous le vent frisquet. Tout me semblait si beau dans ce parc qui baignait, ce matin-là, dans une douce lumière d'automne. Je quittai mon banc pour reprendre ma promenade. Les sentiers déroulaient devant moi leur désinvolture que le désordre des feuilles, tournoyant de-ci, de-là, leur conférait.

Je repensai alors à ce que j'avais lu, mais je ne me souvenais plus où, qu'*autour de celui qui sait s'émerveiller, il y a des merveilles.* Ce matin-là, je ne pouvais qu'être d'accord.

Paris, octobre-novembre 2002

CONTEURS DE RÊVES

« Quand les gens réussissent à s'évader au royaume
des contes, il peut leur arriver d'être pleins
de noblesse, de compassion, de poésie.
Dans le royaume de la vie quotidienne,
ils sont dominés, hélas, par les précautions,
la méfiance, les suspicions. »[1]

Milan Kundera

J'étais rentrée au Québec pour quelques jours seulement. Il faisait froid. Cette année-là, l'hiver ne s'était pas fait attendre. La neige avait recouvert le sol dès novembre. Cela me semblait annonciateur d'un hiver long que je n'étais pas mécontente d'entrecouper de séjours parisiens.

Je donnais une conférence dans une très belle région du Québec, une région nordique, la Manicouagan. J'avais eu un coup de cœur pour les paysages de cette région. Au cours de la conférence, j'avais remarqué une petite flamme dans leurs yeux, le désir de réinventer y brillait. Je devais revenir travailler avec eux en janvier ; j'avais hâte de vivre cette nouvelle expérience.

De retour à Paris, je n'arrivais pas à fermer l'oeil. Mon corps semblait avoir sa dose de décalages horaires consécutifs. Dans ma nuit d'insomnie, j'avais lu un tout petit livre d'Eric-Emmanuel Schmitt, *Monsieur Ibrahim et les fleurs du Coran*. J'avais noté dans mon journal cet extrait :

« – M'sieur Ibrahim, quand je dis que c'est un truc de gens riches, le sourire, je veux dire que c'est un truc pour les gens heureux.

– Eh bien, c'est là que tu te trompes. C'est sourire qui rend heureux. »

Le lendemain, la fatigue me jouait des tours. Je m'étais levée sans grand enthousiasme, mais avec le sourire tout de même. J'étais heureuse de me retrouver à Paris pour plusieurs semaines.

À peine sortie, je constatai qu'il y avait beaucoup de monde partout, dans les rues, dans les magasins. La moindre course devenait un peu galère. On était seulement début décembre et déjà l'ambiance des fêtes et de son magasinager régnait dans la ville.

Au salon de thé où je m'étais arrêtée pour prendre une bouchée, trois jeunes femmes s'étaient faufilées devant moi, impoliment comme des gamines mal élevées, malgré leur trentaine bien sonnée. Je les avais regardées fixement dans les yeux me demandant si elles seraient un peu gênées. Même pas. Je pensai alors que la courtoisie se perdait même dans les beaux quartiers de Paris.

Après avoir enfin réussi à faire mes courses de peine et de misère, je fis une vilaine chute à quelques rues de chez moi, rue Boissy d'Anglade et me foulai la cheville.

Ce n'était pas étonnant, j'avais des sacs plein les bras et la tête dans les nuages, une fois de plus. J'étais captivée par le ciel, si beau ce soir-là, avec une lune immense perçant, par endroits, les gros nuages qui la voilaient.

Je fus alors très déçue de l'attitude des gens. J'étais tombée à côté d'un grand hôtel, Le Crillon. Un agent, à côté de l'Ambassade américaine, surveillait une barrière. Il n'avait pas esquissé un geste pour m'aider. D'autres passants qui s'offusquaient des prix élevés d'un repas de réveillon au

Crillon, me regardèrent me lever sans bouger le petit doigt. Un homme qui m'avait vue de loin me demanda, dès qu'il arriva à ma hauteur : « You're all right ? » — « I am. Thank You. » J'étais maintenant debout.

Je pris un moment pour regarder autour de moi afin d'être certaine que j'avais bien vu tous ces gens me regarder sans faire preuve de la moindre compassion. C'était comme si j'avais été pour eux un personnage virtuel. Ils regardaient ma chute sans bouger.

Cela me fit penser à l'insensiblité dont parle Ernesto Sabato dans *La résistance*. J'étais jeune et en forme, ce n'était pas grave. Mais si j'avais été âgée et faible je doute qu'on m'aurait aidée davantage.

Sommes-nous anesthésiés au point où le malheur des autres nous laisse indifférents ? Cette indifférence m'avait vraiment frappée et attristée. Ma fatigue y était certainement pour quelque chose, mais l'idée me passa par la tête, presque égoïstement, que je me donnais beaucoup de mal pour des gens qui finalement se fichaient pas mal des autres. On était loin de l'esprit de la devise : Liberté, Égalité, Fraternité. Heureusement, je trouvai tout de suite un taxi et le chauffeur, un jeune homme extrêmement sympathique, effaça en cinq minutes l'indifférence que j'avais rencontrée plus tôt.

Avec cette foulure qui s'avéra plus sérieuse que je ne le croyais, je fus immobilisée chez moi pour plusieurs jours. Le pied enflait et devenait de plus en plus noir. Il s'agissait d'une rupture de ligaments. Je souriais des hasards de la vie. J'étais à bout depuis un certain temps déjà, mais je m'obstinais à poursuivre mes nombreuses occupations. La vie s'était chargée de me ralentir. Coincée chez moi, sans beaucoup de nourriture, et ne voulant déranger ni la gardienne de l'immeuble ni mes amis, je m'imaginai alors en dame âgée, seule au monde. J'eus encore plus de compassion pour toutes ces personnes qu'on oublie trop souvent et plus d'inquiétude encore pour ce monde qui semble se désolidariser.

Je profitai de ce moment d'arrêt et de ces longs silences pour me ressourcer et terminer la lecture de l'autobiographie de Pablo Neruda, un homme engagé qui a su faire preuve de compassion tout au long de sa vie. Je me demandais comment nous pourrions amorcer le mouvement d'une nouvelle solidarité. Comment être à l'image de Garcia Lorca qui, selon Neruda, était un multiplicateur de beauté. « Il avait le bonheur dans la peau », écrit-il.

Je réussis à tenir mes dernières réunions et à terminer mes dossiers en cours. Le temps des vacances était enfin venu. Mon amoureux venait me rejoindre à Paris.

À cause de ma cheville, le voyage prévu au sud de l'Espagne, où nous devions séjourner dans un ancien alhambra au milieu d'une nature somptueuse, n'était plus possible. Peut-être quelques jours à Rome si je me remettais, sinon nous resterions à Paris.

Je trouvais fabuleux d'avoir la chance de vivre dans deux villes, deux pays, deux continents. Je rêvais de pouvoir en ajouter éventuellement un troisième.

Vivre dans une ville étrangère change la perspective du regard ; cela donne le temps de développer des habitudes tranquilles, de découvrir lentement les images, les symboles d'un lieu et les rituels de ses habitants.

Nous avons la chance de vivre dans une société d'images. Un rêve, un concept, un fantasme, une idée peuvent être partagés rapidement avec des millions d'autres personnes. Nous avons la chance de pouvoir nourrir notre imaginaire beaucoup plus rapidement qu'avant. Les possibilités de métaphores abondent, mais on dirait qu'on fait une fixation sur la violence, le sexe et l'argent.

Le grand photographe brésilien Sebastião Salgado, qui parcourt le monde et passe l'essentiel de son temps auprès des victimes de la famine, de la guerre, de la pauvreté, affirme : « Pendant longtemps, on a cherché une langue internationale, avec l'espéranto. Finalement, je crois que le langage universel, c'est l'image ! Ce que l'on écrit en images en Côte d'Ivoire, on peut le lire au Japon, en Chine ou au Brésil sans qu'il y ait besoin de traduction. »[2]

L'image devrait nous rapprocher les uns des autres. Nous permettre de mieux communiquer entre nous. Ce n'est malheureusement pas encore le cas.

On dirait qu'on préfère l'image qui tue à celle qui rassemble.

« Autrefois je croyais que l'humanité évoluait dans un sens positif, vers le progrès. J'ai compris que nous pouvions aussi aller dans l'autre sens et que la vraie intelligence de l'être humain c'est sa capacité d'adaptation. Les hommes se font à tout, y compris au pire. En Bosnie, les enfants partaient chaque jour pour l'école sous les bombardements, presque comme mon fils va à l'école chaque matin », ajoute le photographe.

« Ils s'étaient adaptés à la guerre. Au Rwanda, j'ai vu un père jeter son enfant mort sur un tas où gisaient 10 000 corps, puis s'en aller boire un thé comme si de rien n'était. Lui aussi s'était adapté. C'est cela qui me bouleverse : l'incroyable capacité que possède l'être humain pour survivre, mais aussi pour détruire. Parfois, je me demande si nous avons la bonne combinaison de gènes, si notre vérité n'est pas l'individualisme et la violence. »[3]

Sebastião Salgado termine l'entrevue sur cette question :
« Pouvons-nous vraiment continuer cette fuite en avant qui
laisse la majeure partie de l'humanité à l'abandon ? Pouvons-
nous réconcilier la planète des hommes ? »[4]

Nous disposons pourtant de moyens puissants, mais nous
n'avons jamais été aussi impuissants. L'image, par exemple,
a une force incroyable et la technologie permet de la diffuser
instantanément dans le monde entier. Elle devrait en principe
nous choquer, nous mobiliser, nous faire agir, mais elle finit,
elle aussi, par nous habituer au pire. Nous nous adaptons aux
atrocités de l'humanité.

Pourquoi la violence devient-elle de plus en plus notre
divertissement préféré ? Je m'en préoccupais il y a vingt
ans et je constate que ce goût ne cesse de s'accentuer. Cela
me laisse perplexe. On me répond souvent que les jeunes
savent faire la différence entre le cinéma, le jeu et la vraie
vie. Probablement, s'ils ont un milieu familial équilibré (et
encore).

J'ai toujours ce doute (pour ne pas dire cette conviction) que les images qui habitent notre inconscient participent à construire le réel.

Le sociologue Michel Maffesoli pense qu'elles réveillent en nous le désir d'un destin intense. « Un bandit n'ayant pas peur de la mort et mettant sa vie en jeu sommeille en chacun d'entre nous. Cela peut se vivre par procuration mais, même fantasmatiquement, cela exprime le besoin de l'Ombre, le désir de "la part maudite" que la modernité avait cru évacuer à bon compte. »[5] Va pour la part maudite, mais certains d'entre nous se contenteront-ils de vivre cette vie par procuration ? Est-ce que ce ne sera pas plutôt l'impulsion (ou simplement la bonne idée) pour passer à l'acte ? Moi, je ne peux m'empêcher de faire des liens. L'imitation, me semble-t-il, demeure la forme inconsciente d'apprentissage la plus naturelle qui soit. On fait comme l'autre sans même s'en rendre compte. Si, en plus, ce mimétisme fait de nous un héros, hésiterons-nous longtemps avant de passer aux actes dans la réalité ?

Cette réflexion m'amène à me demander si nous ne sous-estimons pas la force symbolique des images et leurs conséquences sur les comportements. Y aurait-il une corrélation entre les contenus de certains produits de divertissement et ce mode d'apprentissage si naturel « de faire comme l'autre », l'autre pouvant être celui qu'on a vu à la télévision ou au cinéma la veille ? La réalité dépasse-t-elle la fiction ? Ou la fiction alimente-t-elle la réalité ?

Il m'arrive parfois d'avoir envie de m'envoler pour m'élever afin d'essayer de comprendre les phénomènes dans leur ensemble. J'aimerais monter à un niveau supérieur. J'aimerais qu'on m'aide à faire des liens entre les parties afin de mieux comprendre le tout. C'est très complexe, mais je voudrais tout de même comprendre les causes et les influences. Je voudrais me glisser derrière les choses et les événements. Je voudrais me faufiler en douce, être l'ombre, pour comprendre un peu mieux. En fait, je crains qu'on ne s'adapte encore une fois et qu'on ne dédramatise cette escalade de la violence.

Une chose est certaine, nous avons en chacun de nous une grande potentialité de violence. Ça, on ne peut plus le nier.

« Première espèce intelligente sur terre, nous avons mis nos qualités au service de l'enfer. Nous tuons les autres espèces, nous nous massacrons nous-mêmes, nous nous multiplions à un rythme anormal, nous gaspillons les richesses du monde, les pauvres sont d'autant plus pauvres que les riches sont riches, et j'en passe. »[6] écrivait l'anthropologue Serge Bouchard dans sa chronique, à la une du journal montréalais *Le Devoir*.

Voilà les constatations que nous faisons en prenant notre petit-déjeuner, notre première gorgée de café. Cela devrait nous faire réfléchir, nous ébranler pour une partie de la journée. C'est rarement le cas. Nous sommes rapidement happés par autre chose. Pour les plus sensibles d'entre nous, ça devient un entraînement quotidien de ne pas sombrer dans le pessimisme. Chacun s'enferme dans sa bulle pour continuer à vivre heureux. J'espère que la première espèce intelligente que nous sommes, et qui travaille à reproduire l'intelligence artificiellement, prendra le temps de réfléchir et de faire des liens pour essayer de comprendre un peu mieux avant de recopier, tel quel, ce qui est.

À quoi nous sert donc cette intelligence fabuleuse si c'est pour fabriquer tant de cruautés ? En fait, c'est peut-être le poète Gilles Vigneault qui a la réponse : « Privée des barbaries de l'instinct, l'intelligence ne produira jamais que de la barbarie. »[7] C'est mal parti. Mais si on intégrait à nouveau l'émotion à la raison, si on laissait la vie s'exprimer naturellement dans un certain désordre du vivant, peut-être retrouverions-nous un peu de cet instinct. Nous semblons nous enfermer dans une bulle. Je me demande si ce sommeil pourra être interrompu un jour.

Il nous faudrait composer une symphonie pour la vie, plutôt qu'un requiem avant l'heure. Je veux croire que c'est encore possible. Mais pour cela, il faut toucher à toutes les parties — surtout celles qui ne se sentent pas concernées. Nous

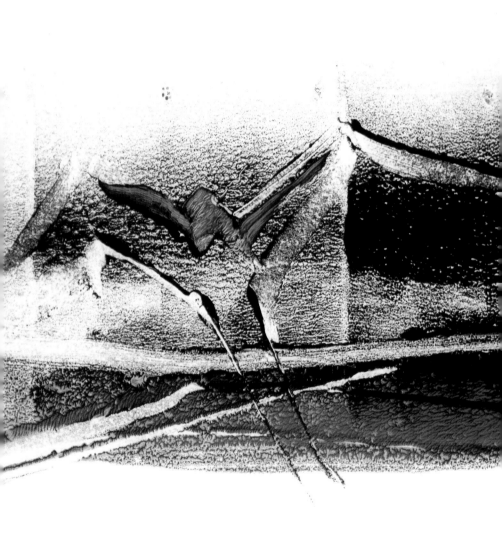

formons un tout et une de nos erreurs a certainement été de vouloir nous confiner chacun bien à l'abri de sa spécialité.

On s'imagine qu'il suffit d'appliquer certaines techniques comptables de productivité pour rendre les gens plus performants. Les organisations seraient surprises du résultat si elles changeaient de tactique et essayaient de nourrir l'imaginaire de leurs collaborateurs en les encourageant dans un développement à la fois personnel et collectif. Voilà un exemple où les parties pourraient aider la cause du tout. C'est fou ce que les organisations pourraient faire pour contribuer à l'évolution de cette nouvelle société.

En ce domaine, dénoncer ou écrire ne suffit pas. Nous pouvons être nombreux à échanger notre point de vue, mais l'important c'est que certains aient le courage de passer à l'acte et d'accepter le risque que cela comporte. « Il n'y a que très peu de gens capables à la fois d'idée et d'action », faisait dire Gœthe à son héros dans *Les années d'apprentissage de Wilhelm Meister*. « L'idée élargit, mais elle paralyse ; l'action vivifie, mais restreint. »[8]

Pour favoriser la rencontre de la pensée et de l'action, j'aimerais que les réunions ressemblent aux nuits de mon adolescence. Je mettrais un tapis au sol. Ses contours seraient nos balises. Sur le tapis, il faudrait rêver pour mettre en scène et injecter du merveilleux dans le plan statégique de l'organisation et laisser à ses acteurs suffisamment de liberté pour qu'ils puissent le ressentir, le voir, l'interpréter afin de se l'approprier. Car la planification n'est pas autre chose que l'exploration du futur. Et pour voir loin, il faut déjà croire que c'est possible.

Pour certains, mes propos semblent parfois abstraits. Ils veulent une grille d'analyse qu'ils pourront appliquer au plus vite. Alors que moi je veux leur donner des pages blanches et voir les surprises que leur imaginaire leur réserve.

Je veux qu'ils créent le désordre, car je crois comme Gœthe que « les hommes accomplissent l'extraordinaire en marge de l'ordre. »[9] Je rêve que nous soyons nombreux à acccomplir l'extraordinaire. Là est peut-être mon utopie. Je sais qu'on trouve souvent mes paroles insensées, mais je me console de ne pas être seule à souhaiter que l'extraordinaire advienne. J'ai reçu suffisamment de témoignages en ce sens. Et puis, « Nous n'allons pas trop nous en prendre à la raison, » poursuivait Gœthe, « et nous reconnaîtrons que l'extraordinaire est presque toujours insensé.»[10]

Je rêve de femmes et d'hommes qui enchanteront le monde, y compris les organisations qui pensent que les profits suffisent à l'enchantement. Or, c'est plutôt le contraire, le monde se désenchante. Comprenez-moi bien, je ne suis pas contre le profit. Je dis simplement qu'il ne peut être le centre de tout. En fait, le profit est merveilleux s'il permet de mieux vivre ensemble, de partager et de puiser du bonheur tout au long du parcours. Le chemin n'est-il pas aussi important que la destination ? Je dis oui au profit, mais pas à n'importe quel prix. Si on tue la vie pour du profit, je m'interroge. Je m'étonne toujours du regard angoissé de ceux qui possèdent plusieurs milliards. Ils arriveront à destination frustrés, ayant accumulé plutôt que joui. Alors que la majorité se prive de l'essentiel, ceux qui ont tout sont-ils vraiment heureux ?

Les richesses du monde seront détenues par un nombre de plus en plus restreint de personnes. Pourrions-nous inverser cette tendance ? J'écris cela avec beaucoup d'espoir, mais peu d'attente.

Les chiffres que cite Jaques Attali à cet effet sont terrifiants : « Le revenu moyen des pays les plus riches, trois fois supérieur à celui des plus pauvres en 1820, l'a été de onze fois en 1913, de trente-cinq fois en 1950, de quarante-quatre fois en 1973, de soixante-douze fois en 1993. Le cinquième de l'humanité le plus riche reçoit 86 % du revenu mondial, contre seulement 1 % pour le dernier cinquième. La richesse totale du milliard d'êtres humains les plus déshérités est aujourd'hui égale à celle des cent plus riches ! »[11]

Je connais la tendance et je ne peux pas m'en réjouir. Je veux croire qu'on peut encore l'inverser, qu'il n'est pas trop tard pour agir. Mon souhait serait que nous devenions plus liés. J'ai l'impression que nous en sommes réduits à cette situation parce que nous nous sommes détachés les uns des autres.

Nous pensons que ce ne sont pas nos affaires. Nous laissons les juridiques, les politiques, les policiers décider pour nous. Nous critiquons ce qui ne va pas, pensant justifier notre repli sur soi.

Sans un éveil prochain, nous vivrons de plus en plus dans des enclaves protégées parce que le reste du monde nous fera peur. Notre contact avec les autres, trop différents de nous, se fera par images virtuelles à moins que nous ne réagissions.

C'est une chaîne qu'il nous faut créer, une chaîne dont chaque maillon aide les uns à aider les autres. Une chaîne de petits et de grands gestes. Une chaîne où chacun est un maillon important peu importe son rôle dans la société. Une chaîne dont l'absence d'un seul maillon enlève de la beauté à l'ensemble. Une œuvre d'orfèvrerie ciselé avec le coeur des uns et des autres.

Pour y arriver, la clé serait peut-être d'apprendre à raconter nos rêves pour en faire des contes modernes et ainsi nous aider, comme le dirait Kundera, à faire preuve de plus de compassion, de noblesse et de poésie.

Dans mes séminaires, je fais rêver les participants et je les encourage ensuite à créer des contes à partir de leurs rêveries. Cette étape rapproche les personnes les unes des autres et procure immanquablement du plaisir. Le partage des rêves exige de donner à voir un concept en le projetant dans une réalité future inventée.

Ce qui est formidable et efficace c'est de partager l'expérience d'un rêve. Un peu comme le disait Matisse : « Pour moi, c'est la sensation qui vient en premier, ensuite l'idée. » Ainsi un rêve et un désir sont des sensations avant d'être des idées. Les expliquer sera moins efficace que de les faire vivre. La seule façon de les faire vivre, avec émotion, c'est de les présenter sous forme de contes.

De plus, la création de contes oblige à la recherche de métaphores, ce qui favorise la compréhension et le sens — au même titre que nos rêves la nuit nous aident à trouver un peu de cohérence lorsqu'on les raconte au réveil et qu'on essaie de les comprendre.

« Les images du passé réveillées par le rêve sont immédiates, intenses et sans enchaînement logique », explique le spécialiste en neuroscience G. Lakoff. « Ce passé qui fait retour prend une forme métaphorique parce que la métaphore est une pensée analogique dont nous nous servons sans cesse dans nos discours quotidiens : nous avons peu besoin de métaphores quand nous sommes engagés dans une activité précise ou une pensée claire, mais quand nous sommes indécis ou que nous comprenons mal ce qui se passe, quand la confusion engourdit notre conscience, alors les métaphores nous aident à penser. »[12]

Plus nous racontons un désir, plus il prend forme dans notre être. Plus nous donnons à voir nos rêveries, plus, inconsciemment, nous trouvons les clés pour les réaliser.

Le conte, ici, devient un mode de connaissance reliant les désirs, les faits, les personnes et les choses. Ce qui rend l'approche encore plus intéressante c'est lorsque le travail est fait collectivement. Les petites tranches de rêves de chacun deviennent alors un grand rêve collectif. Ensuite, il faut le présenter en faisant appel à des techniques théâtrales, car le grand défi est de le faire vivre à d'autres pour que la chaîne du rêve s'élargisse à tous ceux qui l'entendent.

« Tout l'art de Schéhérazade, qui lui permet chaque nuit de sauver sa tête, consiste à savoir enchaîner les histoires et à savoir s'interrompre au bon moment : deux opérations portant sur la continuité et la discontinuité du temps. Le secret tient au rythme, à une manière de capturer le temps qui paraît attestée dès les origines : dans l'épopée en vers, par la métrique ; dans la narration en prose, par les divers moyens de tenir en éveil le désir d'entendre la suite. » comme le précise Calvino.[13] Donner à voir, mais aussi donner envie, faire naître le désir de créer et de vivre la suite. C'est à nous d'enrichir notre présent en imaginant l'avenir.

Dans ses confessions, Saint Augustin réfléchit en ce sens : « Si donc le futur et le passé existent, où sont-ils ? je veux le savoir. À défaut d'en être capable pour l'instant, je sais du moins ceci : où qu'ils soient, il n'y sont pas en tant que futur ou passé, mais en tant que présent. Car, si le futur y est comme futur, il n'y est pas encore ; si le passé y est comme passé, il n'y est plus. Et donc, où qu'ils soient, quels qu'ils soient, ils n'y sont que comme présent. Aussi bien, un récit véridique du passé fait-il surgir de la mémoire, non pas les réalités elles-mêmes, qui sont du passé, mais des mots conçus à partir de leurs images, formes d'empreintes laissées dans l'esprit par leur défilement à travers les sens. Ainsi mon enfance, qui n'est plus, appartient au passé, qui n'est plus. Mais lorsque je l'évoque et que j'en parle, c'est dans le présent que j'en perçois l'image qui subsiste dans ma mémoire.

« La même explication vaut-elle pour les prédictions de l'avenir ? Des réalités encore inexistantes, perçoit-on des images réelles par anticipation ? Ici, mon Dieu, j'avoue mon ignorance, sauf sur ceci : généralement, nos actions à venir sont l'objet d'une préméditation ; celle-ci est présente, alors que l'acte prémédité n'existe pas encore, puisqu'il est à venir ; mais une fois lancée et entreprise l'action préméditée, alors, elle existera, n'étant plus du futur, mais du présent.

« Quelle que soit la modalité de cette mystérieuse perception anticipée, on ne saurait voir que ce qui est. Or, ce qui existe déjà n'est pas à venir, mais est présent. Lors donc que l'on prétend de voir le futur, ce que l'on voit, ce n'est pas lui — qui n'existe pas, et qui est à venir —, mais peut-être ses antécédents et indices déjà existants ; ils ne sont pas à venir, ils sont déjà là, présents sous les yeux, aidant l'esprit à concevoir et à prédire l'avenir. »[14]

Je crois que nous pourrions faire avancer les choses au plan humain en étant davantage conscients de cette grande force qui est nôtre. Ma démarche d'intelligence collective n'est pas autre chose que ces quelques étapes d'un processus naturel d'anticipation et de création.

En premier lieu, imaginons un monde meilleur en le rêvant et en le désirant à plusieurs. Ensuite, donnons vie à notre rêverie collective à l'aide de nombreuses métaphores, en inventant des contes modernes. Diffusons-les au plus grand nombre. Puis voyons ce que cela donnera dans la fabrication du réel. Dès l'apparition des premières créations, gardons-en la trace pour raviver notre mémoire collective et continuer à nous projeter dans l'avenir. C'est une invitation à mettre en scène la beauté et à conserver précieusement les empreintes, comme une semence pour nos prochains rêves, comme un rappel pour garder nos désirs en éveil.

Voilà mon rêve et ma foi. Nous construisons notre vie comme nous construisons la société dans laquelle nous vivons.

Sans vouloir tomber dans la superstition ou dans certaines pratiques qui nous apaisent en périodes de doute, les dernières découvertes scientifiques montrent pourtant que notre cerveau a besoin de créer des mythes et ultimement de les exprimer dans des rituels pour fonctionner de manière optimale.[15] Le rituel que je vous propose est la création de contes.

Pour Joseph Campbell, les mythes nous permettent d'apaiser nos peurs existentielles. Nous avons besoin de trouver un équilibre, malgré tout ce mystère qui nous entoure. La vie. La mort. Notre place dans l'univers. Les catastrophes naturelles. La violence des hommes et en même temps leur bonté. Les mythes permettent, à l'aide de métaphores, de réconcilier ce qui s'oppose.

Dans leur ouvrage, *Why God won't go away*[15], les chercheurs ont étudié la réaction du cerveau lors de périodes de méditation ou d'activités spirituelles. Ils ont constaté que le processus neurobiologique permet aux êtres humains de transcender l'existence matérielle et de se connecter à une partie de nous-même plus profonde, plus spirituelle afin de percevoir une réalité universelle.

Ces études ne dissipent pas le mystère pour autant, mais montrent que notre cerveau a besoin de la cohérence que lui apportent ces croyances pour se développer. Selon eux, plus intenses sont les perceptions, plus grandes sont nos chances de survivre, ce qui est l'ultime but du travail neurobiologique de notre cerveau. Pour développer notre cerveau, il faut le garder alerte. Rêver éveillé est une agréable façon de le faire. Enregistrer la trace de nos rêves permet d'enrichir notre savoir et de le transmettre aux autres. C'est la chaîne apprenante. C'est la chaîne des contes. C'est la transmission de valeurs en gardant notre conscience et mémoire collectives vivantes.

Rêvons le monde et inventons des contes.

J'étais triste de n'avoir pu rejoindre mon ami Michel Random à Rome. Ma cheville était encore enflée et ce voyage n'aurait pas été raisonnable. Heureusement, c'était une année faste pour les expositions à Paris.

J'avais donc profité de mes vacances parisiennes pour me gaver de plaisirs culturels et revoir quelques amis. Je réalisai à quel point je les aimais. Je savais que bientôt mon expérience s'achèverait et que je devrais passer à autre chose, laissant derrière moi ces beaux souvenirs.

Pendant ces journées de fin décembre, à mon réveil, je prenais mon café tranquillement en écoutant le silence. C'était le moment que je préférais pour transcrire dans mon journal mes souvenirs et mes pensées de la veille. C'était ma façon d'arrêter le temps, de garder ma mémoire vivante.

Ce matin-là j'entendis la sonnerie du télécopieur. Dans la faible et grisâtre lumière hivernale , un beau message arrivait, un message que j'ai glissé entre deux pages de mon journal.

« On ne devient pas vieux pour avoir vécu un certain nombre d'années. On devient vieux parce qu'on a déserté son idéal. Les années rident la peau. Renoncer à son idéal ride l'âme. Les préoccupations, les doutes, les craintes et les désespoirs sont les ennemis qui, lentement, nous font pencher vers la terre et devenir poussière avant la mort. Jeune est celui qui s'étonne et s'émerveille. Il demande comme l'enfant insatiable : et après ? Il défie les événements et trouve de la joie au jeu de la vie. Vous êtes aussi jeune que votre foi. Aussi vieux que votre doute. Aussi jeune que votre confiance en vous-même. Aussi vieux que votre abattement. Vous resterez jeune tant que vous resterez réceptif aux messages de la nature, de l'homme et de l'infini. »

C'était Isabelle qui m'écrivait que ces phrases de Winston Churchill lui avaient fait penser à moi.

C'était quelques jours avant Noël. J'étais heureuse de cette sensibilité partagée.

Une autre année commencerait bientôt et j'avais envie de pousser mon idéal le plus loin possible. Ce matin-là j'avais une confiance inébranlable dans la suite des jours même si je n'avais aucune idée du pays et des projets qui les habiteraient. Je savais seulement que je repartirais en quête de mes désirs pour agrandir ma vie.

Paris, décembre 2002

MÉDITATIONS BORÉALES

« Il faut croire en l'immense potentialité de l'esprit humain, en son pouvoir de vagabonder hors des frontières connues et palpables. Il faut croire aux capacités d'imaginer, c'est-à-dire, de recréer des formes, des personnages et même des pays qui naîtront, immanquablement, un jour ou l'autre »[1]

Jean Desy

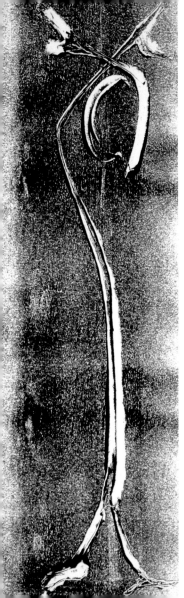

5

Mes amis français me taquinent parce que je suis très frileuse. Comme si venir d'un pays froid nous immunisait. Ce n'est malheureusement pas le cas. J'aime l'idée du froid, mais je ne le supporte pas vraiment.

Mais à part l'inconvénient des grands frissons, l'hiver m'apporte surtout des plaisirs d'enfance, des moments de réflexion et de méditation uniques.

Tôt le matin, la neige qui recouvre le sol contribue à un silence presque magique. Feutré. Doux. Enveloppant. Un silence qui apaise profondément.

J'aime l'hiver et ses couleurs pour la rêverie. J'aime sa poudrerie et ses tempêtes pour les promenades. J'aime ses aubes et ses nuits pour les brumes vaporeuses. Mais j'aime aussi le quitter pour mieux le retrouver. Lorsqu'il se fait trop long, s'étalant parfois jusqu'à la fin mars, je n'en peux plus d'attendre le printemps.

Depuis quelques années, j'étais particulièrement choyée. Je quittais l'hiver et le retrouvais à petites doses, juste assez pour l'apprécier et l'aimer à sa juste valeur. Sauf cet hiver-là, où je fus trop occupée pour quitter ma ville ne serait-ce que quelques jours. Et lorsque je m'absentais, c'était pour monter encore plus au nord, encore plus au froid.

J'étais rentrée à Montréal à la mi-janvier, au moment où le froid se faisait plus intense et mordant. Mon fleuve était gelé, recouvert de glace et de neige.

J'étais rentrée parce que j'avais un projet dans le nord du Québec et parce que je devais compléter un mandat qui, en principe, aurait dû se terminer avec l'année mais, pour le mener à terme, je dus m'engager quelques mois supplémentaires. Grâce à ce dernier mandat, j'appris une grande leçon de vie. Ayant parfois la fâcheuse habitude de dire « oui » pour faire plaisir, je compris que, cette fois-là, le prix en temps avait été trop élevé.

Cela dura du mois d'octobre au mois de mars. Le désir n'y était plus depuis longtemps, mais je m'étais engagée pour aider quelques personnes, dont une en particulier. Le faisant plutôt à contrecœur, je ne fus pas des plus agréables au cours de ces mois d'hiver. Je me sentais brimée dans ma liberté et victime d'une situation qui, par ma faute, m'empêchait d'accepter des mandats en Europe.

Avoir des idées, c'est très engageant surtout si on veut les mener à terme. Mais c'est aussi très difficile si on perçoit en cours de route qu'on risque d'écorcher son intégrité à la suite d'une certaine incohérence entre ce qu'on avance et ce qui est.

Pensant poursuivre un idéal, on se retrouve parfois à participer involontairement à une manipulation contre laquelle on se bat sur d'autres terrains. Je sentais que je devais rester aux aguets.

George Steiner écrit dans *Errata, récit d'une pensée* que : « Dans nos réactions, c'est l'intuition qui parle. »[2]

Depuis quelques mois, mes réactions impatientes, mon exaspération et mes sourires qui se faisaient de plus en plus rares en disaient long sur mes intuitions du moment. Je compris alors que l'obligation du moi intérieur était beaucoup plus importante que le sacrifice pour les autres. Car on ne se sacrifie pas toujours pour des gens qui voient clair. Chacun doit trouver sa propre route. C'est une question d'intégrité envers soi-même.

Cela me rappela le roman du poète Jens Peter Jacobsen, *Marie Grubbe*, dans lequel il trace le portrait d'une femme restée fidèle à son moi intérieur et ce, même si ses choix semblaient difficiles et contraires aux us et coutumes de son époque. Ce personnage a le courage de respecter ses convictions profondes tout au long de sa vie, même si cela représente parfois le chemin social le plus ardu. Je dis social parce qu'il me semble que c'est la seule voie possible en ce qui a trait au chemin intime. La contrainte qui nous empêche souvent d'avancer vient, la plupart du temps, de l'extérieur.

« Ce n'est pas l'intérieur des choses qui motive nos sentiments, seulement leur apparence », écrit Yves Simon dans *La dérive des sentiments*. « La femme à qui il manque une dent n'est qu'une femme à qui il manque une dent, et cela est infime au vu de l'étendue de ses rêves. »[3]

Pour ma part, après avoir été consultante tant d'années, je comprenais enfin que je devais cesser d'essayer de transformer les autres. La seule personne que je devais transfomer n'était nulle autre que moi-même. Le regard que je devais changer n'était nul autre que le mien. Je le comprenais très bien maintenant, même si pendant longtemps je n'avais voulu ni le voir, ni le comprendre, poussée par cette volonté folle de changer le monde.

Je m'étais entêtée, pendant tout ce temps, à essayer de changer les autres, pensant que c'était pour leur bien ou celui de la société, pensant que, de l'extérieur, je pouvais agir. Cela peut sembler terriblement prétentieux mais je vous assure c'était pavé de bonnes intentions.

Heureusement, cet hiver-là, je comprenais enfin. La leçon avait été difficile, mais combien révélatrice. La leçon avait été difficile parce que je m'enlisais toujours dans des situations qui n'avaient rien à voir avec qui j'étais ou plutôt avec celle que j'étais devenue. Ni avec mes désirs. J'acceptais pour faire plaisir à l'un ou à l'autre et, surtout, parce que je pensais que cela aiderait une cause plus grande, leur faisant ainsi prendre conscience de ce que je considérais comme essentiel.

Je comprenais, enfin, qu'on ne peut dire ces choses qu'à ceux qui les réclament, qu'à ceux qui sont prêts à les entendre. Sinon nous perdons nos énergies à jouer les Don Quichotte, ce que j'ai trop souvent fait dans ma vie. *Mea culpa.* Mais qui a dit qu'évoluer était facile ? Je reçus cette leçon de vie comme une transcendance. Et, même si je craignais de retomber dans le piège à la première minute d'inattention, je pris solennellement la résolution de la mettre en pratique de mon mieux.

Je pressentais que ce nouveau savoir me permettrait désormais de dire non plus facilement. Je constatais que s'oublier pour les autres n'était pas la meilleure façon de donner, qu'il me fallait continuer à donner tout autant, mais en respectant ma nature profonde.

Ce fut un grand moment dans ma vie, car je décidai que je ne ferais plus de consultation de la même manière qu'auparavant. Je m'y prendrais autrement. D'en prendre conscience me donnait déjà un sentiment de liberté. Lorsqu'on se force pour donner, on dirait que ceux qui reçoivent ne savent pas remercier. Cela nous choque d'autant plus qu'on s'est forcé. Moi qui ai l'habitude de donner avec tant de facilité et de grâce, le peu de fois où je l'ai fait sans grâce, ceux à qui le don était destiné se sont montrés presque ingrats, voire mesquins.

Je comprenais que donner à contrecœur, par politesse ou obligation, ne rendait service à personne. Désormais, j'essaierais de tout faire avec mon cœur. Et non par devoir (une obligation souvent factice que l'on se crée à soi-même).

Je voulais profiter de ma liberté pour poser des gestes
en harmonie avec ma conscience.

Le jeudi 23 janvier 2003, nous nous levâmes aux aurores pour partir vers Baie-Comeau. La nuit était noire. Du taxi, je regardais le ciel d'encre qui faisait paraître la neige encore plus blanche. À l'aéroport, on reconnaissait tout de suite les gens du Nord munis de leurs bottes chaudes et de leur gros anorak.

Capuches, foulards, gants, nous étions parés pour affronter les grands vents et le froid nordique. Malgré l'heure matinale, les voyageurs étaient souriants. Certains discutaient entre eux en sirotant un café, d'autres étaient plongés dans leur journal.

Le vol était à l'heure. L'embarquement commença comme prévu. Dix minutes plus tard le petit avion était comble. Pas une seule place libre.

À peine étions-nous attachés que l'avion décolla dans un ciel bleu limpide traversé au loin de larges traces roses, restes du levant sur la ville saupoudrée de blanc.

Il faisait chaud dans l'avion, mais je n'osai enlever mon manteau. Je me sentais engourdie d'un reste de sommeil et je laissai mes paupières se refermer sur le ciel rosé. Une heure trente-cinq plus tard, nous survolions la région de la Manicouagan.

Comme toujours, je retins mon souffle. Les grandes étendues d'eaux bleues, les flancs des montagnes de granit gris acier recouverts, ici et là, d'une neige immaculée. Tout était, à vol d'oiseau, d'une beauté incroyable.

À notre arrivée, la serrure de la voiture de location était gelée, nous dûmes attendre pour recevoir de l'assistance. Le froid était mordant, il pinçait les joues. Des larmes embuaient mes yeux. L'extrémité de mes doigts devenait insensible malgré les gants.

Une fois le problème réglé et la voiture chargée des ordinateurs, vidéo-projecteur et appareils photos, nous pûmes enfin prendre la route.

Elle était bordée de conifères, seuls arbres réussissant à pousser dans les forêts boréales. Seuls arbres ayant fait un pacte avec les vents du nord. Le soleil perçait à travers les branches d'épinettes et de sapins. Les pierres semblaient immuables, regardant sans broncher le temps passer. Le ciel était lisse comme une toile tendue. C'était beau et calme.

Nous avons filé, dans la voiture américaine, jusqu'au Manoir de Baie-Comeau où se tenait le séminaire. Ce projet m'enthousiasmait. Une région avait décidé de tenter l'approche d'intelligence collective. En novembre, un premier appel avait été lancé à la population où entrepreneurs, fonctionnaires, politiciens étaient invités à s'unir pour réinventer la Manicouagan. Ils avaient été nombreux à répondre à l'appel.

Nous venions animer le séminaire de trois jours sur le leadership destiné aux premières vingt-cinq personnes inscrites. J'avais surtout donné ce séminaire dans des entreprises françaises et je me demandais comment ce concept serait reçu dans une région où les participants venaient de différents horizons. Mes séminaires étant surtout des ateliers de création, j'étais curieuse de voir la réaction des entrepreneurs.

Encore une fois, nous avons eu la preuve que dans un climat de bienveillance, les gens peuvent donner vraiment le meilleur d'eux-mêmes. Être créatifs.

Ils ont eu des idées formidables, se sont bien amusés et ont désormais en main une clé précieuse pour réinventer leur région : le désir. À eux maintenant de le garder en éveil.

Soixante-dix citoyens ont rêvé d'une région. Soixante-dix citoyens pour entraîner les autres à rêver à leur tour, pour qu'ensuite, ensemble, ils s'appuient sur des valeurs communes pour construire la cité.

Cela veut dire que la région Manicouagan a choisi de miser sur l'imagination créatrice et que nous serons témoins dans quelques années de ce qu'ils auront fait (ou pas) de leurs rêves. René Lenoir écrit dans *Repères pour les hommes d'aujourd'hui* : « ... l'homme est une personne, un sujet autonome, ouvert aux autres, capable de créations dans le domaine des formes et des significations. Des créations qui soient plus que des combinaisons d'éléments préexistants, à même, donc, de faire surgir le nouveau, l'inattendu. Nous restons là dans la ligne d'Aristote, de Kant, et, de nos jours, de Castoriadis : il nous faut sans cesse réinventer la société grâce à cette imagination créatrice en perpétuel dialogue avec l'univers des valeurs. Cet univers est agité de mouvements incessants, à peine perceptibles ; on le sent animé d'une force invisible, celle qui travaille nos consciences. »[4]

J'étais ravie de leur enthousiasme et de leur créativité. Le travail était amorcé. Tout pouvait être possible s'ils gardaient le cap. J'espère que leur volonté résistera au temps et aux contraintes. L'avenir nous le dira. Leur indicateur de performance : 5 000 nouveaux emplois d'ici dix ans. J'espère qu'ils n'attendront pas l'aide des gouvernements ou des grandes entreprises pour agir. J'espère qu'ils seront, eux-mêmes, créateurs. Il y a toujours des moments euphoriques lors de la mise en route de la démarche, mais parfois le souffle s'éteint peu à peu lorsqu'on est aux prises avec les contraintes. À qui la faute ? Souvent au temps ou plutôt à ce qu'on en fait. Tantôt le manque d'organisation, tantôt le manque de vision. On se perd dans les détails et on oublie l'essentiel : l'objectif qu'on s'était fixé pour réaliser son rêve. Il y a aussi parfois un certain essoufflement des désirs et du courage pour agir. On glisse alors dans une sorte de torpeur, laissant les jeux politiques gagner trop de terrain. Lorsque cela se produit, les résultats sont rarement au rendez-vous. Entretenir, au jour le jour, un esprit de solidarité est la clé.

La force du leadership collectif est la complémentarité des intelligences et des talents. En action, elle s'exprime de mille façons.

Par le remplacement de l'un lorsque l'autre s'absente. La confiance et la solidarité des uns envers les autres permettent l'avancement des projets sans causer l'épuisement de quelques-uns. Tous participent. Un climat naturel d'entraide doit s'instaurer.

Par la chaîne d'apprentissage continu pour partager rêves, savoirs, créations et histoires ; de telle sorte que tous restent dans le coup en sachant exactement l'état de la situation afin de pouvoir contribuer au mieux. D'où l'importance de la transparence et d'une communication continue.

Par le partage du pouvoir, le plus difficile à réussir, pour permettre à chacun de faire valoir son leadership, selon ses talents, son expérience et son apport au projet afin qu'il puisse poser des gestes concrets, utiles et reconnus par tous.

Par la qualité du suivi et de la diffusion des résultats obtenus au fur et à mesure de l'évolution du projet.

Par la responsabilité collective qui ne pourra être atteinte que si l'écueil de confier définitivement le mandat à la même personne ou au même comité est évité. Il faut que chacun s'en mêle, que chacun s'approprie une partie du rêve et de sa réalisation.

Le secret : responsabiliser chacun. Obtenir l'engagement en autant que tous y trouvent une part de plaisir et d'élévation. N'est-ce pas ce que les Athéniens ont fait lorsqu'ils ont créé la démocratie ? Ce qu'il nous manque, par ailleurs, c'est un exemple, concret et moderne, pour nous prouver que nous pouvons encore réaliser ce rêve. Nos structures organisationnelles encouragent surtout le développement d'exécutants obéissant aux ordres (plutôt que le leadership collectif) et favorisent de petites guerres intestines parce que chacun veut à tout prix protéger sa parcelle de pouvoir, ce qui finit par tout faire échouer.

Cet hiver-là, j'ai oublié le froid. De mes nombreux séjours dans cette région boréale qu'est la Manicouagan, j'ai retenu ce désir de quelques citoyens de faire de leur éloignement une force. Ils m'ont fait rêver.

Les Manicois, comme on les appelle, m'ont donné l'espoir ; celui dont Sartre parlait à la fin de sa vie. « L'espoir, ça signifie que je ne peux entreprendre une action sans compter que je vais la réaliser... L'action, étant en même temps espérance, ne peut pas être dans son principe vouée à l'échec absolument sûr... Il y a dans l'espoir même une sorte de nécessité... ».[5]

Un espoir que je crois partagé par ceux que j'ai rencontrés sur les rives de cette grande baie boréale.

Chaque nouvelle expérience fait avancer mon approche et confirme mes hypothèses de départ : l'art guérit et rassemble.

Comme l'affirme le sociologue Jean-Louis Bernard dans les actes d'un colloque sur la création artistique et la dynamique d'insertion : « Le cadre a tout autant d'importance que le contenu. Il n'y a d'autonomie que si on est reconnu comme acteur et que si on se reconnaît soi-même comme acteur. »[6]

Lorsqu'on crée un livre, une pièce, un spectacle, on a toujours l'impression de se construire soi-même. Il devrait en être de même pour tout acte, car les actes de création sont les actes les plus nobles qu'un être humain puisse accomplir.

Dans une approche d'art-thérapie : « On passe d'un système d'assistance à un système d'acteurs. Les personnes ne sont pas considérées comme vides et ignorantes (sans expérience ni culture) : on prend au contraire appui sur leur expérience, leurs compétences et leur culture. »[7]

La création artistique est salvatrice, car elle apporte un esprit de liberté et des moments de transcendance. Elle permet d'entendre cette petite voix intérieure de la métamorphose perpétuelle. Mise au service d'un projet collectif, elle est la puissance de l'imagination créatrice.

La création artistique, jumelée à une démarche d'intelligence collective, représente le meilleur levier pour la réalisation d'un projet à la fois politique et durable.

Cet hiver-là, j'ai découvert un nouveau visage de la beauté du monde.

Des plages à perte de vue, longues, majestueuses, polaires. Je m'y suis attardée longuement.

Puis, ces petits sentiers enneigés, à flancs de montagne où, un dimanche matin, j'ai croisé un jeune homme et son chien dalmatien qui donnait l'impression, avec ses taches noires sur sa peau blanche, d'avoir été expressément créé pour s'harmoniser à cette forêt qui semblait sortie d'un conte de mon enfance.

Les gros flocons duveteux venaient se poser doucement sur les sapins déjà blancs.

Mes pas laissaient les premières traces du jour au sol. Et par moments, l'onctueux silence était brisé par le chant d'un oiseau. C'était magique au point de me donner à jamais le goût des destinations nordiques.

Ce que je propose pendant mes séminaires, c'est d'avancer et de vivre en créant le beau. Je ne fais que jouer avec les participants. Jouer à rêver, à mimer, à dessiner, à peindre, à fermer les yeux, à inventer des contes, à monter un spectacle, à le jouer. Jouer à créer pour inventer le beau.

« ...les humains se nourrissent tout autant de contes que de pain » écrit Jean Desy. « Toujours des contes. Il existe un réel besoin de rêve, de rêverie, de littérature et d'activité artistique. L'être humain demande des histoires afin d'entretenir son esprit, pour mieux intégrer ses expériences et leur donner un sens... »[8]

Nous devons veiller au monde que nous fabriquons, au monde que nous inondons d'images et de bruit. Nous devons laisser à notre imaginaire des espaces libres pour créer si nous voulons poursuivre le jeu des contes.

Dante associait la création littéraire à des visions inspirées qu'il recevait comme une pluie d'images. Il me semble que nous devons prendre soin de laisser des espaces vierges dans l'imaginaire de nos enfants pour qu'eux aussi puissent recevoir cette pluie d'images, les yeux fermés.

Et que dire de l'importance des moments de silence. C'est Kundera qui a écrit en parlant de la radio : « ... elle nous poursuit au café, au restaurant, voire durant nos visites chez des gens devenus incapables de vivre sans la nourriture des oreilles. »[9]

Si tous autant que nous sommes, nous pouvions nous engager chaque année à créer, seul ou en famille, le vide et les silences nécessaires pour accomplir la création d'une petite chose qui nous semble belle, ce geste pourrait éventuellement faire de nous des multiplicateurs de beauté.

Je crois fermement que la beauté peut sauver le monde. Elle a une force plus grande qu'on ne le croit. Car, même si les guerres s'acharnent à la détruire, elle réapparaît pour nous éblouir et nous émouvoir, dès qu'on tend l'oreille ou qu'on pose les yeux sur un coin de nature pas encore ravagé par l'homme ; ou sur une œuvre d'art, laissant intacts les grands mystères de la création.

Une façon de combattre serait de s'acharner à inventer de la beauté avec autant de force que ceux qui s'acharnent à la détruire. Une autre façon de combattre serait de faire mieux connaître la beauté qui existe déjà, à l'image de cette scène de roman :

« Ils pensaient que cette nuit-là, demain peut-être, » écrit Yves Simon, « il était possible qu'ils meurent, que d'autres allaient mourir, mais qu'avant cela, il était nécessaire... Vous entendez ! Il était nécessaire qu'un homme, une femme, deux humains de plus aient eu connaissance de quelques mots écrits par Dante, Apollinaire ou Rimbaud...

« C'est cela que j'appelle la beauté du monde, l'effort secret, synonyme de s'élever. Et ce que voulaient anéantir les bottes noires de la guerre, c'est la beauté du monde. La mémoire même de cette beauté... »[10]

Notre combat n'est-il pas de conserver la beauté à tout prix ? De conserver sa mémoire en se la racontant les uns aux autres ; de la faire voir en partageant nos découvertes ; de protéger celle qui existe déjà et d'en inventer de nouvelles ?

Allumer la nuit. Si le scénario actuel est noir, il peut virer au rose comme le ciel de la nuit à l'aube. J'écris cela en rêvant de transformations alchimiques et de nouveaux mythes fondateurs.

Occidentale et enfant de mon siècle, j'ai la malencontreuse habitude d'être manichéenne. C'est blanc ou c'est noir, c'est bien ou c'est mal, cela peut difficilement être les deux à la fois. Alors que, dans la vie, c'est le contraire. C'est toujours un peu les deux à la fois. L'un ne peut exister sans l'autre.

Je le sais en théorie, mais je suis encore loin de la sagesse chinoise voulant que : « ... bien que le yin et le yang soient opposés, ils sont aussi interdépendants : l'un ne peut exister sans l'autre. Chaque chose contient des forces contraires qui, sans arrêt, dépendent les unes des autres. Le jour est le contraire de la nuit, mais il n'y aurait pas de jour s'il n'y avait pas de nuit. L'activité ne peut exister sans le repos, l'énergie sans la matière, la compression sans l'expansion. »[11]

Méditations boréales

Il faut parfois accepter la face obscure des choses pour y découvrir la lumière. C'est ce que la vie nous apprend tous les jours. Souvent les mauvaises nouvelles arrivent en cascade nous donnant l'impression qu'on ne s'en sortira jamais. Souvent aussi, les situations se renversent du tout au tout.

C'est pourquoi, malgré toutes les tendances, je garde espoir que tout est possible. Ma nature enthousiaste me pousse à adopter une attitude guerrière, prête au combat et, en même temps, quand le but semble trop élevé, j'attends les signes et je deviens confiante, laissant le destin faire peu à peu son œuvre. Réussir à me tenir en équilibre sur ce fil, entre l'envol et l'attente, représente pour moi la grande complexité de l'existence.

J'essaie de remplir ces périodes d'attente par des rêveries bien nourries sachant que tôt ou tard elles se traduiront dans la réalité ou qu'elles seront remplacées par de nouveaux désirs plus essentiels.

C'est ma façon à moi de transcender, par le rêve éveillé, les volets de ma vie qui ne me satisfont pas. J'aime l'idée de les transcender parce que j'ai encore espoir de les voir évoluer, sachant fort bien que ma volonté n'y pourra rien.

Il y a des aspects de la vie que nous ne contrôlons pas. C'est d'ailleurs ce qui rend la vie si excitante.

« Naître c'est en quelque sorte être promis à la promesse, à un avenir qui palpite devant nous et que nous ignorons. Tant que l'avenir garde le visage de l'inconnu », note Pascal Bruckner, « cette promesse a un prix. C'est le propre de la liberté que d'emmener l'existence ailleurs que là où on l'attendait, que de déjouer les inscriptions biologiques, sociologiques. L'excitation de ne pas savoir de quoi demain sera fait, l'incertitude de ce qui nous attend est en soi supérieure à la régularité d'un plaisir inscrit dans nos cellules. »[12]

Chacun négocie avec la vie à sa manière. Personnellement, j'aime les extrêmes. Je trouve mon équilibre dans l'intégration de mes polarités. Autant je peux jouir pleinement du moment présent avec une intensité incroyable, débordante de joie, d'optimisme, d'émerveillement, autant je peux vouloir transcender d'autres instants car la souffrance me guette avec la même intensité d'émotion. C'est la passion de la vie, avec ses moments doux et ses moments graves.

C'est donc avec un sourire en coin, m'y reconnaissant à chaque strophe, que je chantonne la chanson *L'excessive* de Carla Bruni : « C'est que l'existence, Sans un peu d'extrême, M'est inacceptable »[13] J'apprécie la vie telle qu'elle est, tout en ayant la conviction que mon regard et mes sens participent à rendre chaque moment plus intense, plus magique.

C'est « Être au monde », dit Michel Maffessoli dans *L'instant éternel* où il annonce le retour du tragique dans les sociétés post-modernes : « ...la non-action est rien moins que passive, » écrit-il. « Elle met en œuvre une autre stratégie par rapport aux gens et aux choses. Elle ne suit pas, uniquement, la *via recta* de la raison, à l'efficacité indéniable mais à courte vue, elle emprunte la voie, plus complexe, propre aux passions, aux émotions dont est pétrie l'existence humaine. »[14]

Il faut jouir pleinement de la vie pour ce qu'elle est, tout en alimentant ses désirs pour avoir l'impulsion de sortir de soi et de réaliser ses rêves. Dans son essai sur le bonheur, Pascal Bruckner affirme : « Le bonheur relève de la jouissance immédiate autant que de l'espérance en un projet capable de révéler de nouvelles sources de joie. »[15] Faire une grande place aux émotions dans notre vie ne veut pas dire éliminer la raison. On peut apprécier l'efficacité d'un projet bien mené. Nous devons recourir à la raison pour ce qu'elle a de mieux à nous offrir. Mais le danger croît avec l'abus.

Nous avons naturellement tendance aux excès. Moi la première, je peux être très rationnelle et efficace. Une fille de résultats vous diront certains. La vie m'a toutefois appris davantage : il y a un prix à être trop rationnelle. Il y a aussi un prix à trancher la vie en deux, le mal d'un côté, le bien de l'autre. On juge facilement sans trop savoir. Il est stupide, il est brillant. Il est bien, il ne l'est pas. On fait souvent la même chose pour soi. On accepte mal ses erreurs et ses imperfections.

Nous devons apprendre à développer un sens critique sans nous détruire, ni détruire les autres. Aujourd'hui, je cherche autant la part d'ombre que la part de lumière, en moi d'abord, chez l'autre ensuite.

Je cherche autant le sens que les résultats. C'est une quête difficile, mais qui prémunit de l'ennui. Nous sommes à la fois une partie et le tout. Nos actions participent à l'unité du monde.

L'exercice d'intégration n'est pas un exercice facile. L'idéal serait de pouvoir intégrer l'immanence — suspension du mouvement, concentration sur soi — et la transcendance — rêves partagés, actions collectives, fierté de projets réalisés en commun et en communion avec le monde. Un va-et-vient continuel entre le non-mouvement et le mouvement, entre l'immobilisme et l'action, entre la création de soi et la création collective.

C'est ce mouvement de vie que nous devrions retrouver dans les organisations pour permettre un certain rythme et un certain désordre afin de les rendre plus vivantes.

« ...dès que quelque chose est imparfait », affirme Michel Maffesoli, « il est fécond. La perfection est signe de mort. Quand il y a friction — opposition, contestation, désordre —, il y a vitalité. C'est très souvent dans le désordre et la folie que se construisent les œuvres de culture et de science. Ou, pour le dire en termes plus académiques, la conjonction des sciences de l'esprit et des sciences de la nature est cause et effet d'un vrai bouillon de culture... »[16]

Voilà où se situe mon fol espoir pour inverser les tendances. Le monde étant dans un tel désordre, n'y a-t-il pas place pour le réenchanter ? Et la beauté ne pourrait-elle pas en être une clé ?

Jean Hurstel du Centre européen de la jeune création à Strasbourg précise que : « Fermer ou ouvrir. L'exercice de l'imagination, c'est l'exercice de la liberté collective pour le plus grand nombre et non plus pour le seul créateur. L'exercice de cette liberté collective, c'est nécessairement d'aller au-delà des conséquences et remonter aux causes politiques et sociales du désastre actuel. »[17]

J'ai développé cette approche d'intelligence collective et de création artistique depuis plusieurs années déjà, mais je suis toujours heureuse de tomber sur des textes et des commentaires qui confirment mes hypothèses. C'est très encourageant de voir que d'autres expériences menées dans des contextes complètement différents arrivent aux mêmes conclusions.

C'est une preuve de plus que l'unité du monde existe et que ça vaut la peine, pour chacun d'entre nous, d'apporter sa meilleure contribution, sa meilleure création.

Comme le dit Castoriadis : « ...la vraie "réception" d'une œuvre nouvelle est tout aussi créatrice que sa création. »[18]

Nous devons être ouverts les uns aux autres et nous encourager à créer, en tant qu'auteur, et à recevoir, en tant que public. Il nous revient la responsabilité de créer un climat d'émulation et de transformer les lieux publics en serres intellectuelles et créatrices pour bâtir ensemble la cité.

J'accueillis la fin du mois de mars avec soulagement. J'avais terminé le mandat qui m'avait tant pesé. La page était enfin tournée et la leçon, je l'espère, retenue.

Je m'en voulais de mes impatiences et de mes sautes d'humeur. J'étais la seule responsable du prolongement de ce mandat.

J'aurais dû assumer mon « oui » avec plus d'élégance, mais hélas, j'avais projeté mon exaspération, de temps à autre, sur les autres. J'en étais bien consciente.

Je comprenais qu'en respectant mon moi intérieur, j'éviterais peut-être de refaire ce genre d'erreurs. Peut-être venais-je d'apprendre enfin à dire non.

Cette année-là, l'hiver était long. Je me baladais dans les rues enneigées du Vieux-Montréal, me faisant la promesse d'essayer d'être heureuse pour rayonner. Car lorsqu'on est mal, on projette sur les autres cette angoisse, cette frustration malsaine. Personne ne nous demande de dire oui à ce prix. L'esprit de sacrifice est une illusion.

Ne préférons-nous pas des sourires à des mines d'enterrement ? Il me semble qu'on apprécie davantage la beauté avec un certain sourire. À trop faire la tête, la beauté, tout comme le bonheur, risque de nous échapper.

J'avais désormais le devoir d'être libre et heureuse et de m'éloigner de tout ce qui pouvait me faire dévier de ma route.

Montréal - Baie-Comeau, janvier - mars 2003

LES ACTES DE BEAUTÉ

« Le laid : on le pratique parce qu'on ne voit pas assez le beau. »[1]

Ingres

6

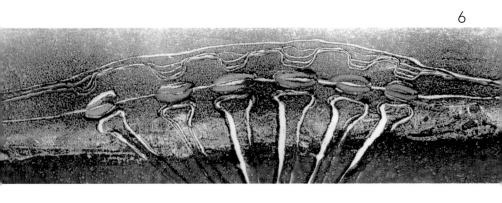

C'était la mi-avril. Le froid et la neige s'attardaient au Québec. J'avais l'impression que le printemps ne viendrait jamais. Je fus donc agréablement surprise de trouver Paris en pleine canicule pour le congé pascal. Je troquai mes pulls de laine pour mes chemisiers de lin. Sans aucune transition. Mais, étonnamment après ces longs mois de froid, j'avais un peu de mal à me dévêtir. Comme si ma peau gardait en elle la mémoire de mes frissons d'hiver.

J'avais décidé de tout quitter pour réfléchir un certain temps. D'ailleurs, je n'avais pu mettre les pieds à Paris depuis trois mois par manque de temps. Ce n'était donc plus la peine d'y avoir un pied-à-terre. Je quittais mon appartement parisien après une aventure qui avait duré quatre ans.

C'est fou combien j'avais accumulé de choses. J'avais réussi à remplir les placards de tout et de rien au point où je dus passer quelques jours à faire le tri entre ce qui resterait en France et ce qui retournerait au Québec.

Je retrouvais des photos, des messages, des cartes. Je relisais les notes de mes carnets. Mon cœur se serrait de devoir partir. Je créais le désordre et m'y promenais avec une certaine mélancolie.

À chacun de mes passages parisiens, je fréquentais mes amis à tour de rôle selon mes temps libres. Ce dimanche-là, je dis à ma copine Candy que j'avais peu profité de Paris à cause du déménagement. Je devais repartir le surlendemain pour une conférence. C'était donc la dernière journée où nous pouvions faire la fête. Il fallait vraiment que ce soit magique. Surtout que je ne savais pas quand je reviendrais.

Nous partîmes sous une bruine parisienne, sans trop savoir ce que nous ferions de notre journée. Nous traversâmes les Champs-Élysées et longeâmes les petites rues jusqu'à la Seine. Puis, nous nous arrêtâmes à L'Avenue pour déjeuner en terrasse. Il était tôt. La faune jet-set dormait encore. Il n'y avait presque personne, c'était agréable.

Un magnifique gros chien marron nous accueillit. Il avait de beaux yeux ocre et semblait avoir ses habitudes auprès du personnel. Pour les câlins, il était sans conteste la star du jour.

À travers la fenêtre, la grande avenue Montaigne était presque déserte. Le ciel était gris. Une fine pluie tombait. Nous étions heureuses d'être ensemble.

Après un bon repas, nous poursuivîmes notre promenade. Passant devant le Grand Palais, je m'étonnai de n'y voir personne. J'avais essayé de visiter l'exposition Chagall, sans succès. Il y avait toujours de longues files d'attente. Ce dimanche-là, par un heureux hasard, nous entrâmes sans attendre une seconde, profitant des salles non bondées, pour apprécier à sa juste valeur *Chagall connu et inconnu*. J'étais heureuse de constater que mon désir, que je ne croyais plus pouvoir satisfaire, fut comblé. Quitter Paris sans quelque nourriture culturelle m'aurait attristée.

Nous reprîmes le cours de notre promenade traversant, par les Invalides, le septième arrondissement, et longeant les petites rues jusqu'au sixième. La pluie avait cessé. Le ciel était d'un gris clair qui reposait les yeux. Candy me montra l'immeuble où elle avait habité, à deux pas du musée Rodin, et me dit : « On peut vivre dans un appartement très luxueux et être très malheureux. Je suis mille fois plus heureuse depuis que je vis dans ma petite chambre. »

Nous commencions à croiser des promeneurs. De timides éclaircies perçaient le ciel gris. Vers seize heures, nous prîmes le thé à Saint-Germain, dans un petit hôtel charmant, question de reprendre des forces.

Je savais que je garderais un beau souvenir de cette longue promenade à Paris. Vagabonder dans cette ville, lorsque la foule n'y est pas trop dense, est un de mes plaisirs préférés. Les averses reprenaient de plus belle. Nous avions marché jusqu'au Louvre, traversé les jardins, passé devant la Comédie française pour finalement faire une pause à l'église Saint-Roch rue Saint-Honoré.

Candy voulait me montrer la chapelle de sainte Rita, la vierge des causes perdues qu'elle avait tant priée les jours de ses grandes épreuves. Nous nous assîmes toutes les deux dans les derniers bancs pour écouter le silence et nous recueillir.

Je fermai les yeux pour sentir l'odeur des vieilles pierres. Peu après, nous entendîmes un très beau chant gospel. Nous nous levâmes pour voir qui chantait ainsi. Ils étaient au moins vingt dans la nef. Ils dansaient avec grâce, levant les bras au ciel, un mouchoir blanc à la main droite, c'était très beau. On aurait dit une chorégraphie de cygnes noirs et blancs. Je regardai Candy à la dérobée. Ses yeux embués trahissaient son émotion : il est vrai que ces chants allaient droit au cœur. C'était un moment de pur bonheur. Je pensai qu'il fallait que cela se passât juste à l'instant où on entrait dans cette église. C'était une pure beauté comme l'entend Dominique Fernandez : « La pure beauté doit être impersonnelle et intemporelle ; n'appartenir en rien à celui qui l'a créée ; ou sembler en tout cas, ne lui appartenir en rien. »[4]

J'avais en début de journée appelé la magie à la rescousse, avec dans mon cœur un grand désir de beauté, et voilà que la journée se déroulait avec douceur, parsemée de petites touches de merveilleux. Nous reprîmes notre chemin dans une demi-obscurité. Les clairs-obscurs de la tombée du jour éclairaient les rues étroites. Nous marchâmes jusqu'à la place Vendôme pour aller écouter de la harpe et boire une coupe de champagne. En regardant les bulles, je fis secrètement le vœu de m'inventer une vie tout aussi pétillante. Puis, à quelques rues de là, nous finîmes la soirée par un léger dîner à l'Hôtel Coste, dans une petite salle intime éclairée aux chandelles et dont les murs étaient recouverts de soie bourgogne. Je ralentis le pas en regagnant mon appartement près des Champs-Élysées. Cette nuit-là, j'essayai de retenir dans ma mémoire chaque détail, chaque ombrage, chaque son, chaque odeur, me disant que je mettrais un certain temps avant de profiter à nouveau ainsi de Paris.

Deux jours plus tard, en jetant un dernier coup d'œil à l'appartement vide que je laissais derrière moi, pour de bon cette fois, je m'étais souvenue de la soirée où Jacques était venu, dans un appartement tout aussi vide, me rejoindre avec une bouteille de champagne et deux coupes pour fêter mon arrivée dans sa rue. En cette fin de matinée d'avril, l'aventure se terminait.

Dans le taxi qui me conduisait à l'aéroport, je ressentis subitement une grande tristesse de quitter Paris, je réalisai à quel point je m'étais attachée à mes amis et à cette vie parisienne. Je savais que je reviendrais, mais je ne savais pas quand. Je partais pour une destination inconnue.

Je regardais les autres passagers dans l'avion en me demandant ce qui nous reliait. Je repensais aux propos d'Hubert Reeves : « La rencontre d'une personne qui change votre vie, a-t-elle un sens quelque part ? »[5]

Chacun de nous a vécu des histoires, des expériences personnelles où une certaine synchronicité a semblé jouer.

Des personnes dont on devait croiser la route, mais qu'on aurait pu manquer de quelques secondes à peine.

De légers signes, mais si symboliques, qu'ils apparaissent parfois comme des réponses à des questions qu'on se pose. Peu habitués à penser ainsi, dans ces cas-là on se demande si on ne force pas la note. Si on ne voit pas des signes là où il n'y en a pas. « Les histoires personnelles », écrit Kundera, « outre qu'elles se passent, disent-elles aussi quelque chose ? Malgré tout mon scepticisme, il m'est resté un peu de superstition irrationnelle, telle cette curieuse conviction que tout événement qui m'advient comporte en plus un sens, qu'il signifie quelque chose ; que par sa propre aventure la vie nous parle, nous révèle graduellement un secret, qu'elle s'offre comme un rébus à déchiffrer, que les histoires que nous vivons forment en même temps une mythologie de notre vie et que cette mythologie détient la clé de la vérité et du mystère. Est-ce une illusion ? C'est possible, c'est même vraisemblable, mais je ne peux réprimer ce besoin de continuellement déchiffrer ma propre vie. »[6]

Si je n'avais par reçu l'appel chez moi de cette femme qui m'offrait un emploi, en juillet 1986, je n'aurais jamais connu ma collègue d'alors qui m'a ensuite, en mars 1987, présenté l'homme de ma vie. Si je n'avais pas reçu, au printemps 1989, l'appel de ce client qui me convoqua à une rencontre avec un Américain qui cherchait un consultant pour un mandat urgent, je n'aurais jamais fait les projets que j'ai faits et n'aurais pu écrire *La Cité des Intelligences*. Si Michel Coutu n'avait pas apporté un exemplaire de *La Cité* en France pour le remettre au directeur du Centre de recherche et d'étude des chefs d'entreprise, je n'aurais peut-être jamais vécu à Paris et n'aurais pas rencontré tous ces êtres exceptionnels qui ont contribué à mon évolution. Si je n'avais pas écrit *La Cité*, je ne serais certainement pas, en ce moment, en train d'écrire *L'école des désirs*. Et ainsi de suite. Tout s'enchaîne.

Quand on y pense, notre vie est faite d'une suite de rencontres qui changent notre vie. Comment ne pas croire qu'elles peuvent avoir un sens ?

« Ces événements », selon Jung, « ne sont pas isolés mais appartiennent à "un facteur universel existant de toute éternité"...Le facteur psychique que Jung associe aux événements dits "synchronistiques" n'est pas surajouté à une nature impersonnelle. Il est significatif de la très grande unité, sur tous les plans de notre univers. Ces spéculations sont-elles futiles et creuses ? » demande Hubert Reeves. « Je ne le crois pas. Il s'agit plutôt d'intuitions exprimées par des balbutiements maladroits. Les mots même font défaut. »[7]

Sachant que nous sommes tous liés, imaginez maintenant ce que nous pourrions faire si nous nous encouragions, les uns les autres, à être au monde pour mieux participer à son entièreté. C'est fou la différence que chacun pourrait faire si on s'unissait au lieu de se diviser. Être capable de voir les problèmes dans leur globalité en nous reliant les uns aux autres — puisque de toute façon nous sommes liés. **Nous sommes sous influence.**

Comme le rappelle si justement Michel Maffessoli : « ...la logique interne de la vie est une "chaîne hiérarchique" où dans le tout naturel et social chaque partie ne vaut rien en elle-même, mais uniquement lorsqu'elle est en relation avec les autres. Non plus la simple addition des individus égaux entre eux et formant le contrat social, mais la synergie organique bien plus concrète et plus solide. Non plus le bien ou le mal, l'ombre ou la lumière, le juste ou l'injuste, dichotomies qui marquent le monde moderne, mais dont le charme tend à s'estomper. Le tragique, mettant en relation ces éléments différents en appelle à leurs conjonctions, à cette fameuse *coïncidentia oppositorum bine* plus difficile à penser et à vivre, mais bien plus concrète et enracinée dans l'*humus* humain. C'est cette humble acceptation de ce qui introduit tout un chacun dans l'entièreté du monde où il peut trouver refuge et occasion de croître, et qui, en même temps, peut lui faire reconnaître la qualité intrinsèque de ce donné mondain. » [8] Si être soi, c'est être au monde, c'est déjà un premier pas à franchir pour participer pleinement.

Le Dalaï Lama affirme que même la personne qui semble être la plus violente, la plus méchante, peut ressentir du bonheur quand elle fait montre de compassion envers quelqu'un d'autre. Cette croyance n'appartient pas seulement aux chefs religieux. Tolstoï avait la même. Il croyait que la bonté pouvait l'emporter sur le mal.

Je veux le croire aussi. Comme je crois que la beauté peut l'emporter sur la laideur... même si je sais qu'elles sont faites pour coexister.

Pourquoi la fraternité ne découlerait-elle pas d'un entraînement social ? Il faut expérimenter la compassion pour savoir à quel point cela fait du bien. Ressentir qu'on fait une différence pour quelqu'un d'autre est certainement une des grandes joies de l'existence. On le voit dans des situations de crise. Chacun trouve du réconfort à apporter sa petite contribution aux déshérités. Ce qui nous décourage parfois c'est l'immensité de la tâche à accomplir ou le détournement des bonnes actions en mauvaises.

Enfin... il y a devant nous ce désordre planétaire et en même temps cet univers de tous les possibles. Je me demande ce que nous pourrions inventer dans nos imaginaires, un territoire où il y a encore de grands espaces vides, pour y construire de nouveaux liens.

« Il y a une liaison entre la prise de conscience de la brièveté de la vie et le droit inaliénable à la sensualité et à la beauté. Qui plus est, l'équilibre de la cité-État grecque repose essentiellement sur la possibilité pour tout un chacun de profiter au maximum d'une telle sensualité. »[9] ajoute encore Michel Maffesolli.

Il nous faudrait emprunter les yeux d'Ulysse pour embrasser l'avenir avec curiosité et gourmandise. Comme lui, nous devrions voir devant nous un immense territoire encore inexploré. Comme lui, nous devrions alimenter notre désir avec gourmandise. Désir de rêver. Désir d'apprendre. Désir d'accomplir. Désir de donner.

Que diriez-vous si je vous invitais à mettre vos écrans d'ordinateur et vos agendas électroniques en veille ? À fermer les yeux. Seriez-vous partants pour arrêter de bouger quelques minutes, pour tenter l'immobilisme et prendre le temps d'imaginer un nouveau monde ?

Si oui, j'aimerais que les pages de ce livre soient interactives afin que je puisse entendre vos silences et vos soupirs. Je voudrais transcrire vos rêves pour en faire un seul. Un grand. Le rêve de demain.

Vous pensez que c'est complètement fou ? Je suis d'accord. Être au monde n'exclut pas la folie, au contraire... Faire de sa vie une œuvre personnelle, faire du monde une œuvre collective, voilà mon rêve. Si vous croyez que je suis une affabulatrice, je suis aussi d'accord. Là est mon bonheur. J'ai même la conviction que les plus fous d'entre vous accomplirez l'extraordinaire. J'aimerais en être témoin. J'aimerais que ce soit contagieux afin que nous soyons très nombreux à jouer à ce jeu d'imagination, à créer des parcelles du réel.

Pour enchanter le monde, créer de nouveaux mythes fondateurs, engendrer une pensée collective, puissante et irrésistible, nous avons besoin d'un très grand nombre d'affabulateurs. Soyons Ulysse pour explorer les territoires de notre inconscient collectif et avoir l'élan de créer un nouveau monde fraternel — hors religion.

Il me semble qu'une valeur si fondamentale devrait nous unir, peu importe nos croyances, et contribuer à diminuer les guerres.

Il y aura des ratés, des déceptions, des désillusions, c'est certain. Mais qu'est-ce que ça nous coûterait d'essayer ? De seulement essayer. Ce jeu ne pourrait-il pas nous apporter un peu de plaisir et de bonheur dans sa seule tentative de construction ?

Quand je vois les moyens utilisés parfois pour défendre de beaux idéaux, j'ai mal à l'homme. Je choisis le rêve collectif, plutôt que la manipulation de masse. Je préfère associer l'esprit féminin à l'esprit masculin plutôt que de les opposer.

Je me méfie des beaux discours qui cachent un pouvoir malsain et mégalomane qui tue la fraternité. J'ai davantage confiance en la douceur pour humaniser les cœurs arides. Je me méfie de l'ironie et du cynisme qui nous ont conduits là où nous sommes. J'ai davantage le désir de miser sur la beauté.

« Nos oreilles et nos yeux sont fatigués, ce sont nos cœurs qui doivent être touchés » disait Gandhi.

Je n'ai pas de méthode à vous suggérer si ce n'est une approche d'intelligence collective et de création artistique. J'aurais plutôt envie de vous entraîner dans un vagabondage sans but précis où nous emprunterions les pistes que nous trouverions chemin faisant, un peu comme si nous partions pour une promenade en forêt loin des sentiers balisés. Je ne suis pas un bon guide, je me perds souvent. Mon imagination est fertile, elle a tant de pistes à proposer. Dans l'action, je ne sais procéder que par essais-erreurs.

Tout ce que je possède, c'est un grand désir qui prend la forme d'un rêve éveillé à force de le mettre en images et en mots.

Tout ce que j'ai c'est une intuition, tantôt imperceptible, tantôt si présente qu'elle me pousse vers vous pour cette grande rencontre de l'imaginaire.

Tout ce que je crains, c'est ma passion qui me rend si impatiente d'assister à une vraie renaissance sociétale. Avant de mourir.

Nous avons rejeté les mythes du Moyen Âge par abus de superstition. Nous venons de terminer deux siècles d'excès de rationalisme. Le temps n'est-il pas venu d'une nouvelle rencontre entre l'émotion et la raison, l'image et les mots, les mythes et la pensée, la mémoire et l'imagination ? Le temps n'est-il pas venu de miser sur l'intégration ?

Nos connaissances ont servi amplement le progrès. Notre imaginaire pourrait-il servir la cause de l'humanité avec autant de démesure positive ?

Si seulement nous pouvions réenchanter le monde. Je vous dis cela parce que « ...jusque dans les pires heures, » comme George Steiner, « je suis incapable de renoncer à la conviction que l'amour et l'invention du temps futur sont les deux prodiges qui font la valeur de l'existence mortelle. »[10]

Et je sais que je ne suis pas seule à avoir cette conviction. Bon nombre d'entre vous l'avez aussi.

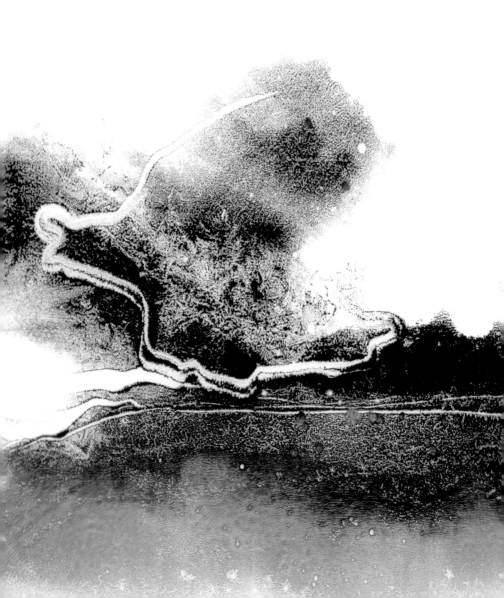

Le poète Christian Bobin dit que seul, il est dans la bêtise. Il a besoin de l'autre pour réfléchir, pour comprendre. Il a besoin d'écrire parce qu'une autre force est conviée. Je crois aussi que nous avons tous besoin des autres même si nous sommes particulièrement doués pour nous séparer, nous désunir, nous entretuer.

« Les nouvelles formes de communication et d'information ne facilitent pas forcément l'interaction humaine : chacun est assis seul devant l'écran de son ordinateur, et, même quand nous sommes plusieurs à regarder le même programme de télévision, nos regards restent parallèles et n'ont aucune chance de se rencontrer. Certains cherchent refuge dans les religions, mais celles-ci ne relient pas toujours, puisque chacun peut choisir la sienne, en puisant dans l'immense répertoire des siècles et des civilisations. Les enfants ne s'élèvent pas encore tout seuls mais, souvent, ne fréquentent qu'un parent unique, ou alors les deux en alternance. Cette solitude croissante », explique Tzvetan Todorov, « cet autisme social ne conduisent pas, comme on aurait pu s'y attendre, à une plus grande différenciation entre individus, au contraire. Montaigne l'avait déjà compris : pris isolément, les hommes se ressemblent ; c'est leurs constellations qui sont uniques, à nulles autres pareilles. La liberté est illusoire quand les conduites obéissent aux mêmes modes et cherchent à se conformer aux mêmes images. »[11]

Choisir une approche d'intelligence collective et de création en prenant modèle sur des artistes pourrait, me semble-t-il, nous aider à créer de belles constellations en renforçant l'identité de chacun. Il faut aménager des espaces qui favorisent le développement de stratégies individuelles et collectives. Il faut s'inspirer de la création de collectif en art pour transformer nos projets et nos expériences en exercices libérateurs et rassembleurs. « Cet exercice de liberté collective se fait naturellement par un processus de dépassement des poncifs et stéréotypes de normes sociales intériorisées par chacun », précise Jean Hurstel.

« Ce processus de dépassement s'appelle la sublimation. C'est par la sublimation et le transfert que s'opère l'alchimie au cœur d'un processus, d'un projet, d'une aventure artistique. »[12]

Avec cette approche artistique d'intelligence collective il faut faire le pari humaniste tel que le définit Todorov dans son *Jardin imparfait,* un livre que nous devrions garder à portée de lecture par les temps qui courent pour mieux nous efforcer, dans toutes nos actions, à donner vie à cette fameuse pensée humaniste moderne :

« L'humanisme est, pour commencer, une conception de l'homme, une anthropologie. Le contenu de celle-ci n'est pas riche. Il se limite à trois traits : l'appartenance de tous les hommes, et d'eux seulement, à la même espèce biologique ; leur sociabilité, c'est-à-dire non seulement leur dépendance mutuelle pour se nourrir ou se reproduire, mais aussi pour devenir des êtres conscients et parlants ; enfin leur relative indétermination, donc la possibilité pour eux de s'engager dans des choix différents, constitutifs de leur histoire collective ou de leur biographie, responsables de leur identité culturelle ou individuelle. Ces traits — cette « nature humaine » si l'on veut — ne sont pas en eux-mêmes valorisés ; mais lorsque les humanistes ajoutent à cette anthropologie minimale une morale et une politique, ils optent pour des valeurs qui seraient en conformité avec cette « nature », plutôt que d'être purement artificielles, produits d'une volonté arbitraire. Ici, nature et liberté ne s'opposent plus. C'est le cas de l'universalité des ils, de la finalité du tu, de l'autonomie du je. Les trois piliers de la morale humaniste sont, en effet, la reconnaissance d'une dignité égale à tous les membres de l'espèce ; l'élévation de l'être humain particulier autre que moi en but ultime de mon action ; enfin la préférence pour l'acte librement choisi sur celui accompli sous la contrainte.

« Aucune de ces valeurs n'est réductible à une autre ; elles peuvent même, à l'occasion, s'opposer entre elles. Or ce qui caractérise la doctrine humaniste est bien leur interaction, et non la simple présence de l'une ou de l'autre. L'éloge de la liberté, le choix de la souveraineté figurent également dans d'autres doctrines, individualistes ou scientistes ; mais, dans l'humanisme, ils sont limités par la finalité du tu et l'universalité des ils : je préfère exercer ma liberté personnelle plutôt que de me contenter d'obéir, mais seulement si cet exercice ne nuit pas à autrui (la liberté de mon poing s'arrête à la joue de mon voisin, disait John Stuart Mill, dans un esprit que partagent les humanistes) ; je veux que mon État soit indépendant mais cela ne lui donne pas le droit de soumettre d'autres États. L'autonomie est une liberté contenue par la fraternité et l'égalité. Tu et ils ne sont pas non plus équivalents. En tant que citoyens, tous les membres d'une société sont interchangeables et leurs rapports sont régis par la justice, fondée dans l'égalité. En tant qu'individus, les mêmes personnes sont absolument irréductibles l'une à l'autre et ce qui compte est leur différence, non leur égalité ; les rapports qui se nouent entre eux exigent des préférences, affection et amour.

« Les humanistes ne « croient » pas en l'homme, ni n'en chantent le panégyrique. Ils savent d'abord, que les hommes ne peuvent pas tout, qu'ils sont limités par leur pluralité même, puisque les désirs des uns ne coïncident que rarement avec ceux des autres ; par leur histoire et leur culture, qu'ils ne choisissent pas ; par leur être physique, dont les limites sont vites atteintes. Ils savent surtout que les hommes ne sont pas nécessairement bons, qu'ils sont même capables du pire. Les maux qu'ils se sont mutuellement infligés au XXe siècle sont présents dans les mémoires et empêchent de juger crédible toute hypothèse reposant sur la bonté humaine ; à vrai dire, ces preuves n'ont jamais manqué. Mais c'est précisément en vivant les horreurs de la guerre et des camps que les humanistes modernes, un Primo Levi, un Romain Gary, un Vassili Grossman ont opéré leur choix et affirmé leur foi dans la capacité humaine d'agir, aussi, librement, de faire, aussi, le bien. L'humanisme moderne, loin d'ignorer Auschwitz et Kolyma, part d'eux ; il n'est ni orgueilleux, ni naïf.

« Si l'on adhère à la fois à l'idée d'indétermination et à celle des valeurs partagées, un chemin existe qui les relie ; on le nomme éducation. Les hommes ne sont pas bons mais ils peuvent le devenir : tel est le sens le plus général de ce processus, dont l'instruction scolaire n'est qu'une petite partie. Dans le monde occidental moderne, et c'est là une autre nouveauté, la plupart des enfants ne sont plus donnés (par le hasard) ; ils sont, en règle général, voulus. Du coup, s'accroît la responsabilité de tous ceux qui peuvent agir sur la transformation de l'enfant en adulte libre et solidaire : sa famille d'abord, mais aussi l'école, voire la société dans son ensemble. Car il ne s'agit pas seulement d'assurer sa survie, ni de faciliter ses succès, mais de lui permettre la découverte des joies les plus hautes. Il faut pour cela cultiver certains de ses traits, en marginaliser d'autres, au lieu de se contenter de les approuver tous, simplement parce qu'ils sont là. »[13]

Ce qui veut dire que nous avons tous un rêve à faire, un rôle à jouer pour fabriquer cette histoire sociétale. À partir de quel moment notre vie deviendra-t-elle une pierre de cette construction humaniste ? À partir de quel moment l'irréel deviendra-t-il réel ? À partir de quel moment notre désir fantaisiste deviendra-t-il société ? Je ne sais pas. Ce dont je suis certaine c'est que les désirs, les rêves et les actes de chacun sont des exemples qui font une petite différence. Et c'est dans la complémentarité de ces actes que nous pourrions en faire une plus grande.

Passage à l'Acte de beauté. C'était déjà le mois de mai. La neige avait fini par quitter Montréal.

Le froid s'était attardé si longtemps qu'il avait laissé peu de temps aux effluves du printemps, aux brises mi-fraîches, mi-douces, de s'installer.

J'avais l'impression d'être passée directement des froids hivernaux aux canicules de l'été.

Je terminai mes derniers mandats, rangeai mes dossiers et préparai mon retrait du monde en prévenant mes amis de m'oublier pour l'été.

Je ne devais pas me laisser distraire par les rumeurs de fête et de *farniente*. Car la procrastination, je sais faire.

Cette fois ma tête était pleine après une période de gestation qui avait commencé depuis plusieurs mois déjà. Je devais accoucher à tout prix.

J'avais l'intention d'interrompre mes activités professionnelles, pendant six mois, pour écrire ce livre.

Je ne pouvais rester sans revenus plus longtemps. Déjà, six mois c'était énorme. Je me disais que j'essaierais d'en faire mon acte de beauté, ce serait ma petite contribution de l'année.

J'avais réfléchi pendant quelques semaines. Je cherchais ce que je pourrais faire tout de suite. J'avais bien quelques idées en tête et de grands rêves pour l'avenir que je n'avais pas les moyens de réaliser maintenant.

Cela dit, j'avais confiance qu'un jour je le pourrais. Mais d'ici là, le projet de ce livre me sembla le plus accessible. Une petite pierre dans la construction de l'édifice.

En l'espace de quelques mois, trois actes de beauté avaient attiré mon attention.

Aussi, décidai-je d'en faire mes trois étoiles dans les nuits d'été de solitude que je m'apprêtais à vivre.

Je me disais que les jours où je me sentirais trop seule pour me donner du courage, je penserais aux artisans de ces trois actes.

Mises bout à bout ces histoires donnent une vision du monde fort sympathique. Ces histoires sont, pour moi, ce que les images de Steinberg étaient pour Roland Barthes.

Critique fécond et inventif, Roland Barthes se demandait en regardant les images de l'artiste-peintre Steinberg :

« Comment une image peut-elle donner des idées ? cependant, Steinberg en donne. Ou plutôt — chose plus précieuse — il donne des envies d'idées, »[14] disait-il.

Pour ma part, j'aimerais partager ces histoires qui donnent du désir — ou mieux encore — des envies de désirs.

BEAUTÉ - ACTE PREMIER

Il était une fois un homme qui gagnait sa vie comme barbier. En 1967 vint la mode des cheveux longs. Incapable de continuer de faire vivre ses trois enfants, il devint alors concierge d'école. Un métier qu'il pratiqua une trentaine d'années dont douze à l'école Denise-Pelletier à Rivière-des-Prairies au Québec.

Ce métier, écrit Rima Elkouri, journaliste au quotidien *La Presse* à Montréal, lui allait comme un gant. « Costaud, attentif, disponible. Très présent et très discret. À la fois confident des enfants, des parents et des profs. Du genre à tout savoir sur tout le monde, mais à ne jamais rien dire. »

Chaque matin, il se levait à 3h45 pour accompagner sa femme au travail puis, dès 6h30, il ouvrait l'école et se préparait à accueillir tout le monde avec le sourire.

« J'ai vécu 40 ans avec lui et je ne l'ai jamais vu de mauvaise humeur le matin », confia sa femme.

Bernard ne pouvait supporter de voir pleurer un enfant. Il avait donc dans son local « des chaussettes de rechange, un arsenal pour réparer les fermetures éclairs, etc., il était considéré comme le grand-papa de tous. Bernard savait régler tous les problèmes, petits ou grands. »

On lui envoyait les élèves turbulents que les professeurs n'arrivaient pas à calmer. « C'était à la fois un psychoéducateur, un éducateur spécialisé et un excellent conseiller », affirme Raoul Absi, le directeur de l'école.

Bernard Comtois a pris sa retraite à 58 ans. Le jour de son départ, les 500 élèves de l'école étaient réunis dans le gymnase.

« Les professeurs formaient une haie d'honneur. Ils ont tous chanté pour le concierge ému. Le directeur lui a annoncé que le salon des profs, où il avait l'habitude de faire la vaisselle tous les jours, porterait désormais son nom. Il en était très flatté et très gêné. » [15]

Bernard est décédé le 24 décembre 2002 des suites d'un malaise cardiaque. En racontant cette histoire, la journaliste Rima Elkouri nous a donné des envies de désir.

L'exemple était d'autant plus beau qu'il tranchait sur l'actualité et son flot de mauvaises nouvelles. Bernard a transformé sa vie en actes de beauté, actes qui ont été appréciés des enfants et reconnus par tous.

Chaque geste compte, et ceux qui en témoignent éveillent aussi nos désirs.

En lisant le journal, ce matin-là, cette histoire a ensoleillé ma journée. Je l'ai à mon tour racontée à d'autres personnes qui, chaque fois, ont souri.

Pour ma part, je me disais que lorsque j'aurais envie de me plaindre, j'aurais une pensée pour Bernard. Un sourire.

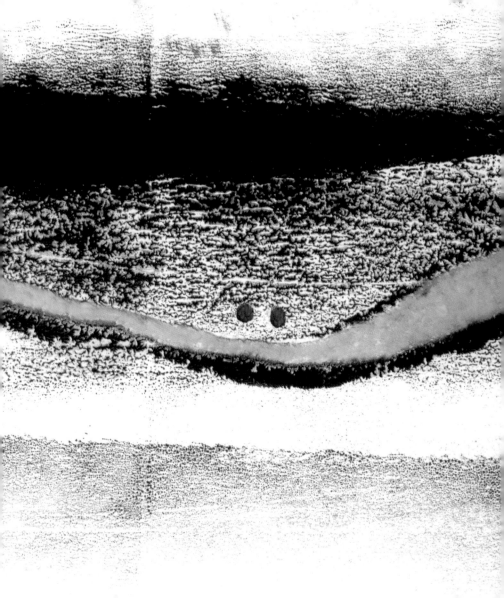

BEAUTÉ - ACTE DEUXIÈME

J'entendis parler, pour la première fois, de cette histoire à l'hiver 2002. J'avais eu l'idée, pour un client, de transformer un rapport annuel sur le développement durable en magazine sur le même thème. Nous avions convenu d'essayer une formule assez innovatrice, c'est-à-dire d'inviter les employés des différentes régions à rédiger les articles.

Des employés de chaque usine devaient donc trouver des sujets intéressants sur les thèmes de l'environnement, de l'énergie, de la vie au travail et de la vie dans la communauté. Jouant le rôle de rédactrice en chef, je fus particulièrement touchée par l'article de Gilles Chassé au sujet de l'entreprise Norfil.

Par un heureux hasard, une année plus tard, je donnais un séminaire sur le leadership à Baie-Comeau. Je réalisai qu'un des participants était justement le président-fondateur de Norfil, Claude Belzile. Je demandai alors d'aller visiter son entreprise.

Je désirais rencontrer cette équipe qui travaille selon un concept similaire à mon approche d'intelligence collective. Je ne fus pas déçue. Bien au contraire.

C'était une preuve éloquente que lorsqu'on respecte les gens et qu'on mise sur leur intelligence et leur culture, on peut en tirer quelque chose de merveilleux.

Ce jour-là, sans le savoir, j'avais rendez-vous avec la beauté. Sans le savoir, parce que celle des paysages je la connaissais déjà. Mais celle-ci se faisait plus discrète. Elle se cachait entre quatre murs. L'histoire était beaucoup plus belle encore que je ne le croyais.

Il était une fois un homme qui avait un grand rêve. Dans sa jeunesse, il avait pensé faire des études en architecture mais, après avoir assisté aux premiers cours à Montréal, il décida que ce n'était pas sa place. Quelques semaines plus tard, il était de retour dans sa région natale dans le nord du Québec.

Il trouva alors un emploi au Centre d'accueil de Baie-Comeau, puis comme éducateur en santé mentale, au Centre hospitalier où il rencontra une co-équipière extraordinaire avec qui il collabora pendant dix ans, Marie-Claude Lafrance.

Ensemble, ils réfléchissaient et expérimentaient afin d'aider au mieux les patients à être plus stables, plus autonomes et plus heureux. C'est au cours de ces années que naquit son grand rêve de mettre sur pied un centre de travail adapté afin de permettre aux patients d'évoluer davantage.

Ayant atteint les limites, en centre hospitalier, de ce qu'on pouvait faire pour favoriser le développement des déficients intellectuels, il cherchait un moyen de les aider à devenir encore plus autonomes.

Il fit des recherches, visita des centres adaptés un peu partout, puis commença à rédiger un plan d'affaires pour fonder une entreprise qui embaucherait ces personnes.

Il partagea son rêve avec tous les partenaires potentiels, pouvant l'aider à réaliser son projet, à commencer par son employeur de l'époque, le Centre hospitalier de Baie-Comeau.

Après de longs mois de recherche et d'acharnement, il obtint finalement le financement nécessaire pour mettre sur pied l'entreprise.

Il engagea son ancienne co-équipière, Marie-Claude, comme directrice des ressources humaines et de la production. « Sans elle », affirme Claude, « Norfil n'aurait pu exister ». Ensemble ils ont créé une entreprise unique qui fabrique des vêtements industriels et des équipements de protection, *Les Vêtements Norfil.*

Leur mission est de développer l'employabilité des personnes ayant des limitations fonctionnelles. Les trois quarts du personnel souffrent de limitations, l'autre quart est constitué de la direction et des accompagnateurs.

Ce sont des personnes qui, selon les normes sociales, ne seraient pas sur le marché du travail et vivraient aux dépens de l'État. Au lieu de cela, aujourd'hui, elles ont un métier, gagnent leur vie, reçoivent un salaire décent et paient des impôts.

La qualité des vêtements que fabriquent ces personnes est impressionnante. Les coutures sont impeccables, les coupes parfaites, la finition irréprochable.

Je constatai, avec étonnement, une qualité comme on en retrouve rarement sur le marché et, de surcroît pour des vêtements industriels.

Les lieux étaient propres, bien éclairés et accueillants. Dès les première rencontres, les sourires et les regards étaient sympathiques. Chacun semblait concentré et attentif à ce qu'il faisait. L'atmosphère était apaisante. Je m'y sentis bien tout de suite.

Plusieurs employés me dirent que ce travail avait changé leur vie. Désormais, ils ont le désir de se réveiller le matin parce qu'on les attend quelque part pour accomplir quelque chose d'important, d'utile.

La conquête de leur autonomie se traduit par le gain d'une nouvelle dignité et du respect dans le regard de l'autre. Certains ont maintenant leur voiture, leur appartement et mènent une vie presque normale. Le rêve d'un homme a réussi à sauver la vie de ces personnes que la société avait mises à l'écart.

La première chose qui m'a frappée, c'était que cette équipe était mieux traitée que la plupart des employés dans les entreprises dites normales. L'équipe de direction sait que sans la confiance de ses troupes elle ne pourrait aller nulle part.

Elle mise sur un accompagnement de qualité. Ici, on ne nivelle pas vers le bas, on s'élève toujours un peu davantage. C'est un projet collectif. Les succès sont célébrés en équipe et chacun a droit à sa part de reconnaissance.

On voit tout de suite que ces personnes ont du plaisir à travailler ensemble. J'étais à la fois fascinée et émue.

Les entreprises devraient s'inspirer de ce modèle. Si des personnes ayant des limitations arrivent à produire une telle qualité, à coûts concurrentiels, dans le respect de l'être humain et de l'environnement, pourquoi n'arrivons-nous pas parfois à le faire avec des personnes dites sans limitation ?

Mais au fait, c'est peut-être nous les personnes limitées, simplement parce que nos cœurs sont plus fermés. Ne devrions- nous pas nous méfier de nos préjugés ?

« Je trouve ça enrichissant de travailler avec eux, ils nous donnent une belle leçon de vie. » m'ont dit les couturières. Elles ont raison. Les quelques heures que j'ai passées avec eux, j'ai été touchée jusqu'au plus profond de mon être. Devant eux, nos artifices et nos masques tombent. L'authenticité est contagieuse. Bref, si j'avais des vêtements industriels à faire produire, je serais heureuse de pouvoir m'associer à une telle équipe.

Je serais même prête à assumer les frais de transport, peu importe la région où je me trouverais, car Norfil offre ce que peu d'entreprises offrent : un produit de très haute qualité, sur mesure, à prix concurrentiel et une conscience humaine et sociale, celle de la compassion, c'est-à-dire l'impression de contribuer un tout petit peu à la beauté du monde. À sa dignité.

J'étais tellement impressionnée que je me disais que Norfil devrait avoir une liste d'attente de clients potentiels (il n'en est rien), et de partenaires pour ouvrir d'autres centres de travail adapté à son image. Il est possible de faire mieux et Norfil en est une preuve éloquente.

Pourtant, elle doit se battre sur le terrain d'une concurrence féroce. De plus en plus d'entreprises demandent des offres via Internet et octroient le contrat au plus bas soumissionnaire, peu importent les conditions dans lesquelles les vêtements sont produits. Tout pour le profit. Et parfois pour une différence de seulement quelques centaines de dollars.

Que nous arrive-t-il ? Les mégaentreprises ont besoin de mégaprofits pour survivre. Et nous — qui consommons les produits de ces mégaentreprises et contribuons à leurs mégaprofits — ne sommes-nous pas aussi responsables de cette dérive ?

Nous pouvons contribuer — sans même nous appauvrir, sans perdre en qualité, sans perdre en productivité. Et nous refusons !

Le rêve de Claude Belzile (et sa persévérance pour le faire arriver et qu'il se poursuive) est un bel exemple pour nous tous. Un exemple qui devrait nous donner envie de mieux choisir nos fournisseurs.

Voilà un pari humaniste gagné. En créant Norfil, Claude a posé un acte de beauté édifiant et il encourage son entourage à poser les leurs, chaque jour.

Une personne. Un rêve. Un acte. Et des centaines d'autres personnes touchées par la grâce, la dignité, la compassion ; des centaines d'autres pour qui la vie est mieux qu'avant.

Au nom de tous, merci Claude. Merci Marie-Claude. Merci à tous ceux qui sont prêts à poser un tout petit geste pour construire la cité et faire en sorte que le profit ne soit pas notre dieu au point de perdre la raison. Et le coeur.

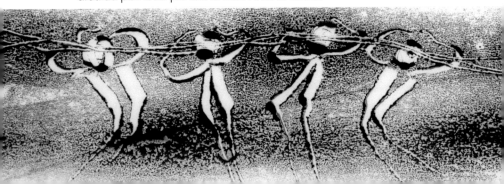

BEAUTÉ - ACTE TROISIÈME

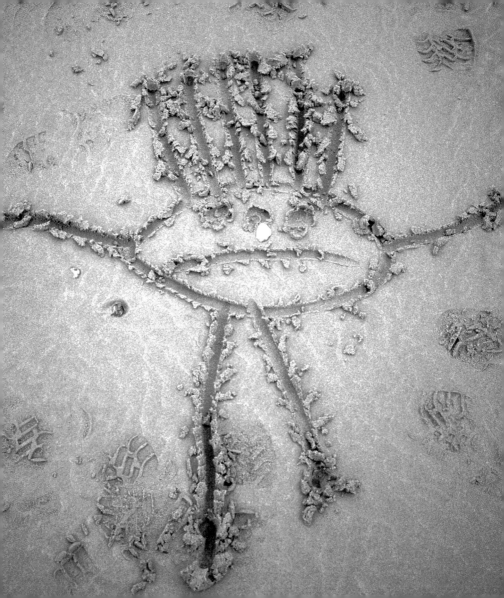

Mettre des enfants au monde est un geste très grave. Leur donner la vie est une bien petite chose en comparaison de la qualité d'accompagnement qu'on leur apportera tout au long de leur parcours. Malheureusement, plusieurs enfants — qui n'ont pas demandé à naître — sont venus au monde dans des conditions immondes. Nous unir pour les aider est notre devoir à tous.

J'ai personnellement un grand rêve. Je ne peux le réaliser pour l'instant, mais je suis convaincue de pouvoir y arriver un jour. Pour ces enfants que je souhaite aider à ma façon, j'ai l'intention de réserver le quart de mes revenus annuels dès que je le pourrai et ce, jusqu'à la fin de mes jours.

D'ici là, j'aide un peu, mais à vrai dire je suis encore à l'étape du rêve et de la recherche du concept qui pourrait être appliqué dans l'esprit de mon approche d'intelligence collective et de création artistique. Le temps d'incubation étant un sage conseiller, j'y réfléchis longuement.

J'y travaille en silence et en solitaire depuis quelques années déjà. Je veux prendre le temps de trouver l'acte, parmi tous les autres, qui donnera un sens à ma vie et dont les retombées pour la vie humaine et le pari humaniste seront, je l'espère, pérennes.

Walter Benjamin a écrit que : « L'origine ne désigne pas le devenir de ce qui est né, mais bien ce qui est en train de naître dans le devenir et le déclin. L'origine est un tourbillon dans le fleuve du devenir et elle entraîne dans son rythme la matière de ce qui est en train d'apparaître. »[16]

J'ai donc espoir que si ce désir m'habite, c'est qu'il trouvera ses pistes de réalisation dans un certain avenir puisque son origine existe déjà dans mon imagination et dans mon cœur. C'est-à-dire, comme le dirait Saint Augustin, dans le présent.

C'était l'état d'esprit dans lequel j'étais lorsque Thérèse Dion, à l'automne 2002, m'a parlé du petit garçon dont elle était la marraine en Inde. Cela m'a tout de suite donné envie d'être aussi marraine d'un enfant.

Depuis, j'ai la chance d'être la marraine de Vara Lakshmi. Une petite fille de six ans qui a perdu sa mère, et que j'espère aller visiter éventuellement.

La fée qui se cache derrière cet orphelinat à Puri en Inde qui nous permet de parrainer des enfants en versant un montant annuel afin qu'ils soient logés et nourris, qu'ils reçoivent des soins médicaux et puissent s'instruire, est Mary-Ellen Gerber.

Elle a consacré une partie de sa fortune à la création de la Fondation Mary-Ellen Gerber en 1997. En mai 2000, la Fondation a acheté huit acres de terrain pour construire le premier village pour les enfants orphelins dans l'État d'Orissa au nord-est de l'Inde.

Le village accueille, en ce moment, quatre-vingt-dix-neuf enfants. Le deuxième village de Visakhapatnam héberge vingt-cinq petites filles.

Ces petits orphelins peuvent avoir enfin l'espoir d'une vie meilleure. Les enfants s'entraident les uns les autres, des grand-mères seules y résident pour s'occuper des enfants et les petits nouveaux sont chaleureusement accueillis par les anciens.

Plusieurs personnes à la retraite vont faire des séjours dans les villages afin d'aller enseigner aux enfants à lire et à écrire. Je ne peux trop en parler, car je n'y suis pas encore allée, mais vous pouvez visiter le site Megfoundation.org si cela vous intéresse.

Encore une fois. Une personne. Un rêve. Un acte. Et la vie de milliers de personnes a été touchée. Mary-Ellen est une multiplicatrice de beauté. Tous ces petits enfants qui auront la chance de vivre une meilleure vie grâce à son acte et à tous les autres qu'il entraîne.

Au printemps 2003, j'ai enfin reçu la photo de la petite Vara. Je l'ai trouvé belle. J'ai très hâte de la rencontrer.

Si elle aime étudier, j'ai bien l'intention de l'accompagner de mon mieux le plus longtemps possible. Et qui sait... en prendre d'autres sous mon aile.

Alors que je montrais sa photo à un ami, Garry Bourgeois, il me dit l'importance, pour lui, de prendre un seul enfant, mais de vraiment l'aider à se rendre jusqu'au collège. Je découvris alors que ce célibataire de 47 ans était le parrain d'un petit garçon (le fils d'un ouvrier avec qui il travaille) à qui il a offert comme cadeau de naissance de défrayer ses frais de scolarité pour le collège.

Comme le rappelait le maire de Rome, Walter Veltroni, si chacun de nous pouvait sauver une seule vie, cela ferait déjà une énorme différence. Ce qui est fabuleux, c'est qu'en parlant de l'acte de beauté d'une personne, on en découvre d'autres. Cela confirme que l'homme peut *aussi* être bon et que le pari humaniste n'est pas impossible.

Paris, Montréal, avril-mai 2003

LES PORTES DU DÉSIR

« Mais quand, malgré la souffrance, un désir est murmuré, il suffit qu'un autre l'entende pour que la braise reprenne flamme. »[1]

Boris Cyrulnik

7

Depuis quelques mois je ressentais une forte envie de me taire. De me renfermer dans ma coquille. Comme si j'étais envahie d'une grande lassitude qui me laissait sans force devant l'acte d'essayer de convaincre. Avoir son mot à dire, mais non pour ajouter au bruit… Dépasser l'acte des discours inutiles devant des audiences endormies. Et que dire à ceux qui ne savent plus entendre ?

J'avais annoncé à mes amis et à mes clients que je m'arrêtais pour écrire, et plus les semaines avançaient, plus je craignais de ne pas y arriver.

J'avais l'impression d'être dans un épais brouillard, cherchant des phares au loin pour me guider. Or, la lumière venait de l'intérieur. Le « je » venait aisément, mais me contraignait. Un essai aurait été moins engageant qu'un témoignage aussi intime. De plus, ce que j'avais vraiment envie d'écrire, c'était désormais des contes. J'avais en effet ce grand désir (que j'ai toujours d'ailleurs) de me laisser entraîner par la magie des mondes inventés. L'imaginaire est mon pays. Mais je savais que je devais d'abord passer par cette étape intermédiaire. Cette étape du réel. Je devais franchir le seuil du réel pour rejoindre l'irréel. Ce seuil était pour moi à la fois un processus alchimique et une synthèse. Et puis, il me semblait que cette synthèse je la devais aux lecteurs de *La Cité*.

Et puis le temps pressait. Dans quatre ans, j'aurais cinquante ans. J'eus tout à coup peur du temps qui passe. Peur d'avoir laissé échapper mes rêves. Peur de ne pas m'être mise suffisamment au service des causes qui me tiennent à cœur.

C'est habitée par ce sentiment d'une mort prochaine qu'il m'avait alors semblé important d'oser agir au plus vite. Et, dans mon cas, agir voulait dire m'arrêter. Faire le point. Suivre le conseil de Sénèque. Savoir d'où je venais pour essayer de savoir où aller. « Il n'y a point de vent favorable pour celui qui ne sait où il va. »

Vous aurez compris que le désir d'un monde meilleur est toujours là, bien sûr. Mais il ne s'agit pas de rêver d'un monde parfait, ce serait peine perdue. Et ce serait ennuyeux. Il s'agit seulement d'en faire bon usage.

Nous sommes à l'ère de la performance à tout crin mais dans certains domaines nous ne performons plus du tout.

Nous devrions prendre modèle sur la philosophie du peuple kanak en Nouvelle-Calédonie : « Pour nous, le pays c'est le partage... Le prestige n'est pas dans la capitalisation de l'avoir mais dans celle du service que l'on rend.... Dans notre système, l'homme n'est pas le maître ; il est un élément du monde. »[2]

Comment avons-nous pu, avec notre intelligence, notre savoir et nos moyens techniques, nous égarer à ce point d'une telle sagesse ?

Les mots ont rarement eu aussi peu de signification. On joue des mots comme des modes. La tendance terminée, le mot vidé de son sens a perdu sa substance. Pour redonner de la valeur aux mots, le temps presse. Il faut agir. Construire avant qu'il ne soit trop tard. Dire ne suffit plus, il faut faire. **Chaque acte compte.**

C'est pour tous ceux que le désespoir guette qu'il faut agir. C'est pour eux qu'il faut poursuivre un idéal.

Ne soyons pas cyniques du haut de nos certitudes et parfois de notre condescendance (jouant ceux qui croient connaître le chemin) face à ce qui nous semble naïf — parce que souvent dérangeant.

Je ne suis certaine de rien, mais j'ai envie d'essayer, d'y aller. Je nous imagine déjà avancer à l'aveugle, tous ensemble, dans la joyeuse imperfection de notre créativité collective. Malgré nos doutes.

Plus j'avance dans la vie, plus j'ai l'impression que les pistes se brouillent. Le jour où j'ai fait cette découverte, cela m'a rendue un peu triste. Comme si je partais faire une promenade en plein soleil et que, tout à coup, le ciel se couvrait et l'averse me surprenait avant que je n'aie pu me protéger.

Dès que je suis trop sûre de moi, une nouvelle vision s'impose. Comme pour me faire douter. Je passe de l'éclaircie au brouillard, comme ces jours incertains où le soleil tergiverse avec les nuages.

Mon pas est hésitant. Je ne sais plus si j'avance ou si je recule. Une nature passionnée se lance dans une aventure avec tout ce qu'elle est, et ce qu'elle a. Il faut à ces natures une double dose de sagesse pour admettre l'erreur. Lorsque nous avons tout investi dans une cause, il est difficile d'admettre qu'on ait pu faire fausse route. C'est pourtant la vie. Nous nous trompons tous, à l'occasion.

Comme Peter Brook, « ... je crois que toute la vie est une progression vers la reconnaissance du fait que ce qu'on croit voir et ce qu'on croit comprendre n'est jamais tout à fait ça. »[3]

C'est d'ailleurs cette quête qui nous fait souvent avancer à tâtons entre les intuitions et les doutes, cherchant des pistes et des repères pour mieux comprendre.

Chaque fois que nous constatons qu'une intuition se précise, qu'un rêve se réalise, nous ressentons l'état latent des choses.

Voilà ce que j'aimerais que nous ressentions dans notre aventure collective : l'état latent d'un monde stimulant à inventer.

Mais pour y arriver, nous devrons peut-être repasser par l'enfance, retourner à la source même de notre créativité.

Le rêve et l'enfance

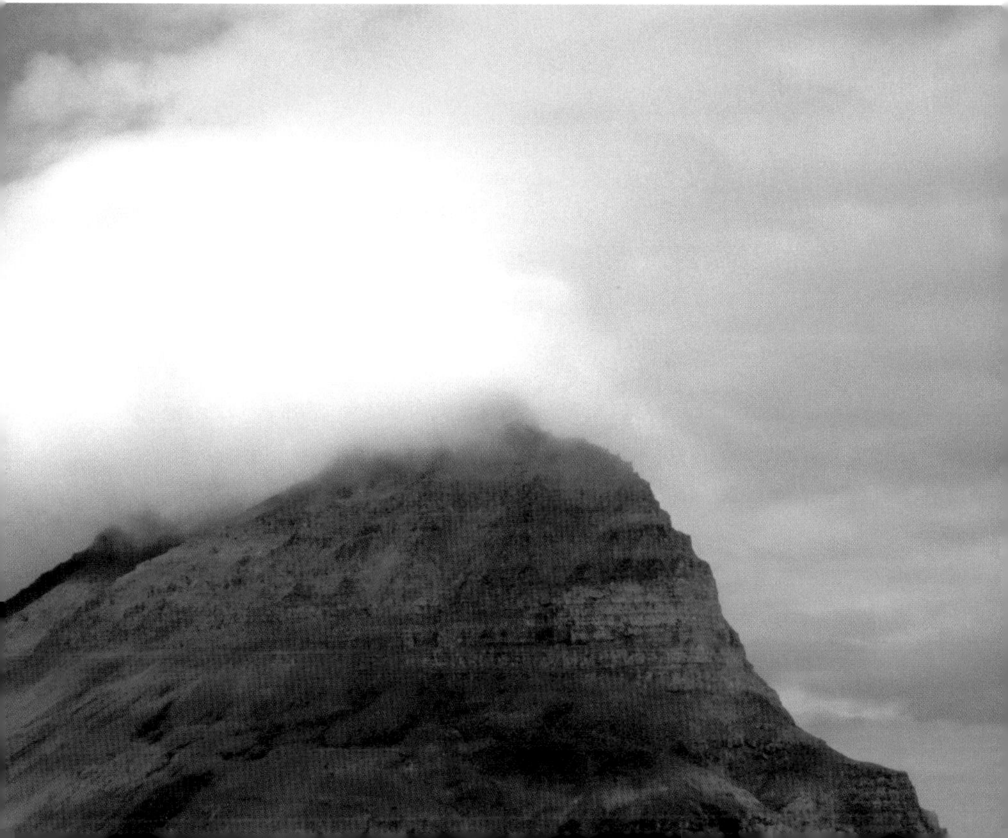

Le rêve éveillé est un révélateur de l'intuition. Je ne sais si c'est grâce à mon enfance où l'on me laissait rêvasser à ma guise, ou à la lecture du conte d'Andersen, *La petite fille aux allumettes* qui me fit une très forte impression. Mais dès que la pauvresse frottait son allumette, je l'accompagnais de toutes mes forces dans ses visions.

C'est ainsi que je me suis inventé, tout au long de mon enfance, des rites pour voyager d'un niveau de réalité à l'autre. À force de pratique, je suis devenue plutôt habile dans la création de ces films imaginaires dont j'étais le seul public.

De cette intuition naïve de ma jeunesse qui me faisait croire dur comme fer que ma pensée pouvait contribuer à créer une vie bien plus excitante que ce que m'en disaient les grands, j'en vins à user immodérément de la rêverie comme mode de vie, pour me projeter dans des univers où je réglais la mise en scène selon mes désirs.

Cette imagination fertile était toutefois accompagnée d'un grand défaut qui m'a valu bien des déceptions : l'impatience. Car une fois la vision au point, elle devenait si réelle que je ne comprenais pas pourquoi elle n'était pas, tout de suite, la réalité.

De cette frustration sont nés le goût de l'action et le désir de partager mes rêves. Mais pour que mes chimères deviennent réelles, il fallait que d'autres y croient. Il ne pouvait en être autrement : les contes et les songes étaient réels. Et j'étais consternée que les autres puissent en douter. Cette conviction m'entraîna à insuffler du merveilleux dans toutes les portions grisâtres de ma vie. Il était hors de question de se contenter d'un réel ordinaire.

Je compris mieux ce comportement de mon enfance en lisant un article de Boris Cyrulnik dans lequel il explique « ... qu'un enfant qui ne rêve pas son avenir est condamné à vivre dans l'immédiat donc il n'a pas de réalisation de ses désirs. Malheur à ceux qui n'ont jamais menti, ils sont soumis au réel. » [4]

L'adolescence a donné des ailes à mes rêves, permettant certains passages à l'acte comme si la magie devenait réelle. Les expériences ont été nombreuses et, curieusement, elles rejoignaient souvent les rêves. Je me souviens alors de ces moments euphoriques où j'avais l'impression que l'irréel rencontrait le réel. Cela me ravissait et me donnait une confiance absolue en la vie.

Les années ont passé et peu à peu les obligations ont grugé du temps aux rêves. Les longs trajets en bus et en métro, propices à mes échappées, ont été remplacés par des parcours rapides — et souvent stressants — en voiture.

Le plus grand bienfait de cette croyance de mon enfance fut d'imprimer mes désirs si fortement que, pendant plusieurs années, la passion et l'enthousiasme ont porté mes actions à leur paroxysme. Cela m'a donné l'énergie immense qui vient de la poursuite des rêves et du désir de les voir se réaliser. Il y a une telle joie de voir ce qui semblait impossible devenir réel. Mais parfois, la vie met tellement de temps à se conjuguer avec l'esprit qu'on doute que nos rêves se réaliseront jamais. C'est alors qu'on désespère. Puis, on finit par les oublier, ou par les abandonner. Jusqu'au jour où ils réapparaissent et nous effraient presque, nous confrontant à notre détermination juvénile qui nous faisait croire que nous pourrions contrôler notre vie et notre avenir. Qui nous faisait croire que tout était possible.

« L'homme ne semble rien connaître aussi intimement que les espérances et les désirs qu'il a longtemps nourris et gardés dans son cœur ; et voici qu'à l'heure où il les rencontre, où ils s'imposent en quelque sorte à lui », écrit Gœthe, « il ne les reconnaît pas et recule devant eux. »[5]

Avec la logique seule, nous perdons le fil de l'imaginaire alors que ce dernier est le plus puissant lien pour construire le réel et, ironiquement, développer une certaine logique, une cohérence entre nos désirs, nos actes et notre vie. Il faudrait entremêler les sagesses orientale et occidentale pour avoir accès, par-delà des connaissances habituelles, à un savoir plus riche et mystérieux.

Ma quête se situe dans la recherche de cet équilibre entre l'immanence pour laisser émerger mes désirs véritables, et le mouvement pour tenter de les faire arriver. Et, comme le personnage de François Cheng, je ne cesse de me répéter : « Pendant qu'il est encore temps, c'est probablement l'occasion unique pour moi d'accomplir le geste tant désiré, ce geste pour lequel, je n'en doute pas, je suis venue au monde. Mais ce geste, je ne le ferai pas encore, sachant pertinemment que s'il en est encore temps, ce n'est justement pas le moment de le faire. Toute ma vie n'est-elle pas ainsi, non à temps, mais à contretemps ? Elle ne s'accomplit jamais dans un présent visible et prévisible. Elle sera sans cesse différée, en vue de quelque hypothétique réalisation future. Hypothétique ? Pas tout à fait. Au fond de moi-même, j'en suis convaincu. Toujours démuni et dépossédé, j'ai certes appris à n'être sûr de rien, et j'ai néanmoins la naïve conviction, indéracinable celle-là, que toute chose semée par moi, même seulement en pensée ou par le désir cheminera jusqu'à son terme, irrésistiblement, comme indépendamment de ma volonté, pour s'épanouir à des moments peut-être proches, peut-être lointains — peut-être dans une autre vie ? —, où je ne m'y attendrai pas. Ma tâche principale consistera plutôt à apprendre à les repérer, ces moments. Sinon, tant pis pour moi ; tout se passera quand même, sans moi. »[6]

Ma réflexion venait de l'étourdissement d'aller de plus en plus vite et d'essayer d'être de plus en plus performante — pour être aimée et reconnue — de gagner de plus en plus d'argent — pour en dépenser davantage — de m'agiter tout le temps — pour avoir moins de temps libre pour réfléchir. C'était au milieu de ce tourbillon, mi-conscient, mi-inconscient, que j'avait tout à coup réalisé que j'avais cessé de rêver et que la vie avait certainement plus à offrir. Quand on vient d'un milieu modeste, on peut parfois penser que l'accomplissement vient avec l'avoir. Puis, un jour, on comprend que ça ne suffit pas.

Que l'on soit riche ou pauvre, la perte des rêves me semble un appauvrissement terrible qui met en danger notre société. Ce danger je l'ai du moins ressenti pour moi-même.

De remise en question en remise en question, de la perte d'êtres chers qui m'avaient permis toutes ces libertés et toutes ces douceurs de mon enfance, je me suis retrouvée face à moi-même, étonnée de ne plus savoir quels étaient mes véritables désirs et surtout de ne plus savoir à quoi rêver.

Cette pause d'été m'a aidée à y voir plus clair. Mes désirs sont remontés à la surface, mes rêveries ont retrouvé leur espace pour se promener librement dans ma vie, et mes nuits sont peuplées de nouveaux rêves.

J'ai parfois craint de ne pas pouvoir tenir mon engagement, mais ça y est, j'écris les dernières lignes comme quelqu'un qui s'apprête à mettre la table pour ses invités. Rêveurs, penseurs, créateurs, acteurs vont bientôt franchir les portes de mes désirs pour qu'il y soit question de beauté.

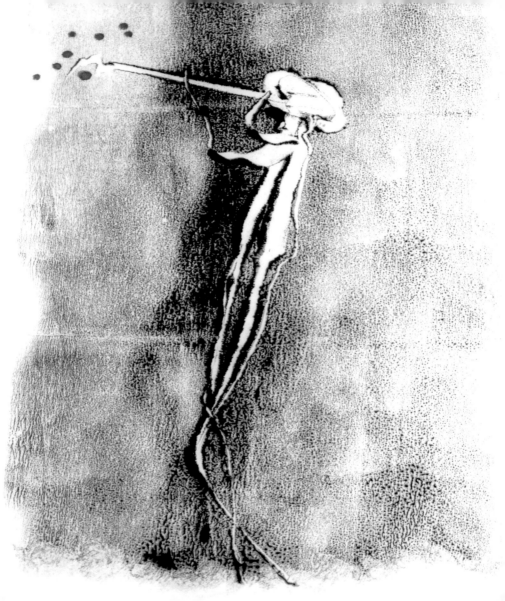

C'est dans notre habilité à répondre à l'appel, dans notre force créatrice pour faire voir les beautés du monde, celles qui existent déjà et celles que nous inventerons, que nous interférerons peut-être dans la destinée de ceux qui nous quittent prématurément, par désespoir, et qui resteraient peut-être avec nous plus longtemps, si on les invitait à rêver et à créer pour participer à la construction d'un monde plus inspirant. Plus humaniste. Plus solidaire.

Si vous partagez le même rêve que moi et que vous décidiez de poser un geste qui fera une petite différence et que vous ayez envie de le partager avec d'autres pour faire connaître votre pierre à l'édifice de ce que pourrait être *L'École des désirs*, je vous invite à m'écrire à Témoignages@Gendreau. com.

Le troisième tome de *L'École des désirs* mettra en scène ces actes multiples de beauté, question de s'inspirer les uns les autres, question de se donner espoir et de voir peu à peu notre rêve collectif prendre forme sous nos yeux.

Un rêve réalisé. Si vous avez ce livre entre les mains, c'est qu'un autre rêve a été réalisé. Au moment d'écrire, il semblait peu probable de trouver les moyens financiers pour le produire et l'amener jusqu'à vous. Je le faisais d'abord pour moi. Un bilan avant de repartir sur autre chose. Mais je souhaitais tout de même pouvoir l'offrir à ceux qui partagent les mêmes interrogations en espérant que ce qui m'aide à vivre les aide aussi. J'y ai vu un acte de partage et de beauté, intime et personnel. J'y ai vu une brise légère leur murmurant à l'oreille une invitation à rêver et à inventer l'*École des désirs*. Mais hélas, sa production, avec toutes ses photographies couleurs, représentait un grand risque. C'est alors que je me suis rappelé le vieux proverbe arabe voulant : « Qu'un homme qui n'a jamais pris un jour le risque de tout perdre est un pauvre homme. » J'ai donc pris le risque. J'espère que cela sera utile à vos désirs. Comme cela l'a été aux miens.

Montréal, juin-octobre 2003

Remerciements. L'amitié est pour moi l'expression même de la beauté. Des liens qui nous montrent la voie du partage, de la communication, de la tendresse et de la solidarité. Des liens qui aident à faire notre éducation d'êtres humains. Une éducation sans fin.

Voilà pourquoi j'aimerais remercier tous mes amis pour leurs sourires, leur disponibilité, leur générosité et leur sincérité. Mes amis sont pour moi des multiplicateurs de beauté.

Parler de rêves et de beauté alors que ces mots sont tellement galvaudés, détournés de leur sens, de leur profondeur et de leur complexité est un acte périlleux.

J'ai osé vous en parler parce que je nous soupçonne plus nombreux qu'il n'y paraît à souhaiter d'autres propos, à souhaiter plus de nuances, plus de respect, plus de bienveillance. Je nous soupçonne plus nombreux à souhaiter voir les arts occuper une place essentielle dans nos existences.

Merci à tous les lecteurs qui ont bien voulu me donner leur avis avant publication : André, Brigitte, Claudette, Jean-François, Jean-Guy, Jovette, Louis, Marc, Michel(s), Michelle et Nicole(s). Merci aux réviseurs : Michel Durand, Éric Dussault, Nicole Filiatrault, Isabelle Lemyre, Nadine Li Lung Hok, Brigitte Morel et Marc Veilleux.

Merci à tous ceux qui ont croisé ma route depuis quelques mois et qui m'ont aidée à mettre au monde ce livre de confidences ou plutôt ce jeu pour vous appeler à l'aide afin que nous essayions de notre mieux de protéger la beauté du monde.

Picasso a dit un jour à Cocteau : « Il faut créer au-delà de la beauté, car si on essaie seulement de reproduire la beauté, on ne peut faire qu'un pastiche. Si on va au-delà, la beauté rejoint alors notre création ».[1] C'est ce que je nous souhaite à tous pour nos prochaines créations.

Montréal, juillet 2004

NOTES

1. FUITE HORS DU RÉEL

1. Schmith Marc, Zen, *Les carnets de sagesse*, Albin Michel, Paris.

2. Random Michel, Barrère, *La vision transpersonnelle*, Éditions Dervy 1996, p. 19

3. Bachelard Gaston, *La poétique de la rêverie*, Presses universitaires de France, 1960, p. 5

4. Debray Regis, *Par amour de l'art, une éducation intellectuelle*, Gallimard, 1998, p. 27

5 Calvino Italo, *Leçons américaines*, Éditions du Seuil, Point, Paris, 2001, p. 147

6. *Ibid.,*

7. *Ibid.,* p. 149

8. Lenoir René, *Repères pour les hommes d'aujourd'hui*, Fayard, 1998, p. 83

9. Cyrille J.-D. Javardy, Pierre Faure, *Yi Jing*, Albin Michel, 2002, p. 25

10. Cyrulnik Boris, *Un merveilleux malheur*, Éditons Odile Jacob, 1999, p. 18

11. Truong Nicolas, Entretien avec Negri Antonio, *La vie est une prison quand on ne la construit pas*, Le Monde de l'éducation, juin 2002

12. Lacroix Michel, *Les modèles du moi*, *Psychologie*, septembre 2002

13. Truong, Nicolas, Entretien avec Antonio Negri. *La vie est une prison quand on ne la construit pas,* Le Monde de L'éducation, juin 2002.

14. Lacroix, Michel, *Les modèles du moi*, Psychologie, septembre 2002.

2. LA PART DE RÊVE

1. Vigneault Gilles, *L'armoire des jours,* Nouvelles éditions de l'arc, Montréal, Québec, 1998, p. 109

2. Balzac Honoré de, *La Comédie humaine*, Jean de Bonnot, Paris, p. VII

3. Jung Carl, *Psychologie et alchimie,* Burchet/Chastel, traduction française, Paris, 1970, p. 11

4. Masters Kim, *The last emperors*, Vanity Fair, septembre 1999, p. 2002

5. Mattelart Armand, *Histoire de l'utopie planétaire*, Éditions de la découverte, 1999

6. Jung Carl, *Psychologie et alchimie,* Burchet/Chastel, traduction française, Paris, 1970, p. 45

7. Morin Edgar, *Imaginer le futur, Les clés du XXIe siècle,* Seuil, Éditions Unesco, Avril 2000 (pour l'édition française), p. 61

8. Berthoz Alain, *Le sens du mouvement*, Éditions Odile Jacob, Sciences, Paris, 1997, p. 7

9. Gaudin Thierry, *2100, récit du prochain siècle*, Grande Bibliothèque, Payot, Paris, 1990, p. 7

10. *Ibid.,*

11. Perreault Luc, *On ne communique plus, déplore Scola*, Quotidien *La presse*, Montréal, 5 septembre 1999

12. Krief Jean-Pierre, *La rage et le rêve des condamnés*, Production et distribution, Ks Visions, 20e Festival international du film sur l'art/Montréal 2002

3. LA ROUTE DES DÉSIRS

1. Cheng François, *Le dit de Tianyi*, Albin Michel, Paris, 1998, p. 57

2. Lao-Tseu, Tao Tö King, *Le livre de la voie et de la vertu*, Traduction de Conradin Von Lauer, Jean de Bonnot, Paris, 2002, p. 2

3. *Ibid.,*

4. Giono Jean, *L'oiseau bagué*, L'imaginaire, Gallimard, Paris, 1943, p.15

5. Bobin Christian, *Autoportrait au radiateur*, Gallimard, Paris, 1997, p. 17

6. Macé Gérard, *Colportage 1 Lectures*, Le promeneur, Gallimard, Paris, 1998, p. 13

7. Vicondelet Alain, Saint Exupéry, *Vérité et légendes*, Éditions du chêne, Hachette 2000, p. 107

8. Brook Peter, *Le diable c'est l'ennui*, Actes sud-papiers, 1991, p. 13

9. Citati Pietro, *La lumière de la nuit, les grands mythes dans l'histoire du monde*, L'Arpenteur, Éditions Gallimard, 1999, pour la traduction française, p. 212

10. Denis Jean-Pierre, *Vivre c'est avoir peur*, Journal *Le Devoir*, Québec, 30 avril 2000

11. Laïdi Zaki, *La tyrannie de l'urgence*, Les grandes conférences, Étiditons Fides, Paris, 1999, p. 32

12. Cheng François, *Le dit de Tianyi*, Albin Michel, Paris, 1998, p. 124

13. *Ibid.*,

14. *Ibid.*,

15. Gœthe, *Les années d'apprentissage de Wilhelm Meister*, Folio classique, Gallimard, Paris, 1954, p. 357

4. CONTEURS DE RÊVES

1. Kundera Milan, *La plaisanterie*, 1968 pour la traduction française, Éditions Gallimard, Folio, p. 332

2. D.S., une entrevue de Sebastião Salgado, *Pouvons-nous réconcilier la planète des hommes ? L'Express*, mars 2000

3. *Ibid.*,

4. *Ibid.*,

5. Maffesoli Michel, *L'instant éternel, le retour du tragique dans les sociétés postmodernes*, Denoël, Paris, 2000, p. 53

6. Bouchard Serge, *Sale histoire*, *Le Devoir*, édition du lundi 31 juillet 2000, Montréal.

7. Vigneault Gilles, *L'armoire des jours*, Nouvelles éditions de l'arc, Montréal (Qc) 1998, p. 83

8. Gœthe, *Les années d'apprentissage de Wilhelm Meister*, Folio classique, Gallimard, Paris, 1954, p. 671

9. *Ibid.*, p. 533

10. *Ibid.*, p. 533

11. Attali Jacques, *Fraternités*, Fayard, Paris, 1999, p. 57

12. Lakoff G. *How metaphore structures dreams : The theory of conceptual metaphor applied to dream analysis*, Dreaming, 3,77, 1993

13. Calvino Italo, *Leçons américaines*, Éditions du Seuil, Point, 2001, p. 70

14. Saint Augustin, *Les confessions – dialogues philosohiques*, La Pléiade, Éditions Gallimard, 1998, pp. 1044-45

15. Andrew Newberg, Eugene D'aquili, Vince Rause, *Why God won't go away ?* Brain Science and the Biology of Belief, Ballantine Books, New York, avril 2001, p. 32

5. MÉDITATIONS BORÉALES

1. Desy Jean, *La rêverie du froid*, Le Palindrome, Les Éditions de la Liberté, Québec, 1991, p. 82

2. Steiner George, *Errata récit d'une pensée*, Gallimard, Paris, 1997, p. 16 ,

3. Simon Yves, *La dérive des sentiments*, Livre de poche, Grasset, 1991, p. 52

4. Lenoir René, *Repères pour les hommes d'aujourd'hui,* Fayard, 1998, p. 200

5. Ibid, p. 69

6. Bernard Jean-Louis, *Création artistique et dynamique d'insertion,* Colloque transnational, Éditions L'Harmattan, 2001, p. 10

7. *Ibid.,* p. 12-13

8. Desy Jean, *La rêverie du froid*, Le Palindrome, Les éditions de la liberté, Québec, 1991, p. 77

9. Kundera Milan, *La plaisanterie*, 1968 pour la traduction française, Éditions Gallimard, Folio, p. 248

10. Simon Yves, *La dérive des sentiments*, Livre de poche, Grasset, 1991, p.179

11. Maciocia Giovanni, *Les principes de la médecine chinoise*, Bruxelles, Satas, 1992, p. 9 cité par Cajetan Larochelle, dans Socrate Sage et Guerrier, Éditions Les intouchables, Montréal, 1999

12. Bruckner Pascal, *L'euphorie perpétuelle*, essai sur le devoir du bonheur, Grasset, Paris, 2000, p. 182

13. Bruni Carla, *L'excessive,* cd, Quelqu'un m'a dit, 2003

14. Maffesoli Michel, *L'instant éternel, le retour du tragique dans les sociétés postmodernes*, Denoël, Paris, 2000, p. 97

15. Bruckner Pascal, *L'euphorie perpétuelle, essai sur le devoir du bonheur,* Grasset, Paris, 2000, p. 52

16. Maffesoli Michel, *L'instant éternel, le retour du tragique dans les sociétés postmodernes*, Denoël, Paris, 2000, p. 190

17. Hurstel Jean, *Huit thèses et une synthèse sur la question de l'art et de l'insertion, Création artistique et dynamique d'insertion, Colloque transnational*, Éditions L'Harmattan, 2001, p. 48

18. Castoriadis Cornelius, *La montée de l'insignifiance*, les carrefours du labyrinthe, La couleur des idées, Seuil, 1996, p. 63

6. LES ACTES DE BEAUTÉ

1. Fernandez Dominique, *La beauté*, Desclée de Brouwer, Presses littéraires et artistiques de Shanghai, 2000, p.127

2. Cyrille J.-D. Javardy, Pierre Faure, *Yi Jing*, Albin Michel, 2002, p. 29

3. Calvino Italo, *Leçons américaines,* Éditions du Seuil, Point, 2001, p. 57

4. Fernandez Dominique, *La beauté*, Desclée de Brouwer, Presses littéraires et artistiques de Shanghai, 2000, p. 86

5. Reeves Hubert, *La synchronicité, l'âme et la science*, Espaces libres, Albin Michel, 1995, p. 19

6. Kundera Milan, *La plaisanterie*, 1968 pour la traduction française, Éditions Gallimard, Folio, p. 248

7. Reeves Hubert, *La synchronicité, l'âme et la science*, Espaces libres, Albin Michel, 1995, p. 19

8. Maffesoli Michel, *L'instant éternel, le retour du tragique dans les sociétés postmodernes*, Denoël, Paris, 2000

9. *Ibid.*, p. 103

10. Steiner George, *Errata, récit d'une pensée*, Gallimard, 1997, p. 231

11. Todorov Tzvetan, *Le jardin imparfait, La pensée humaniste en France*, Grasset, 1998, p. 327

12. Hurstel Jean, *Création artistique et dynamique d'insertion, Colloque transnational*, Éditions L'Harmattan, 2001, p. 48

13. Todorov Tzvetan, *Le jardin imparfait, La pensée humaniste en France*, Grasset, 1998, pp. 331-32

14. Barthes Roland, *Œuvres complètes, t. III*, Éditions du seuil, p. 398

15. Elkouri Rima, *Bernard le concierge*, Journal *La Presse*, Montréal, Québec, 9 mai 2003

16. Cyrille J.-D. Javardy, Pierre Faure, *Yi Jing*, Albin Michel, 2002, p. 23

7. LES PORTES DU DÉSIR

1. Cyrulnik Boris, *Le murmure des fantômes*, Éditions Odile Jacob, 2003, p. 236

2. Tjibaou Jean-Marie, *La présence kanak*, Odile Jacob, 1997

3. Brook Peter, *Avec Shakespeare*, Actes Sud-Papiers, 1998, p. 61

4. Cyrulnik Boris, *La mythomanie est fondatrice de notre destin, magazine Psychologie*, septembre 2002

5. Gœthe, *Les Années d'apprentissage de Wilheim Meister*, Folio classique, Gallimard, Paris, 1954, p. 349

6. Cheng François, *Le dit de Tiany*i, Albin Michel, Paris, 1998, p. 187

8. LES REMERCIEMENTS

1. Farger Jean-Paul (réalisateur), *Cocteau et compagnie*, film français (52 min.), présenté au 22e Festival des Films sur l'Art à Montréal, 11-21 mars 2004

Ouvrage réalisé
par l'atelier graphique Gendreau Communications.
Imprimé par Litho-Mille-Îles ltée
pour les Éditions Céra, Montréal
Dépôt légal première édition : septembre 2004